KB075570

내 삶에
고전꽃이

피었습니다

내 삶에
고전꽃이 피었습니다

김인교(민들레) 지음

「나는 아무것도 바라지 않는다.

나는 아무것도 두려워하지 않는다.

나는 자유다.」

니코스 카잔차키스 묘비명

고전독파 함께 해봐요.

(준비물: 마음. 형광펜. 삼색 볼펜. 노트)

1. 읽고 싶은 고전을 준비해요.

2. 읽을 고전에 대한 정보는 미리 검색하지 않고. 빈 도화지를 채운다는 마음으로 읽기 시작해요.

3. 읽기 3단계

3-1)워밍업
표지그림.목차.작가에 대해 읽고 책과 친해지는 시간을 가져요.

3-2) 일독하기
하루에 10-30페이지 분량을 나눠 읽어가며. 인상깊은 문구를 형광펜이나 볼펜으로 줄을 긋고 자신의 단상을 메모해요. (메모는 책 이나 노트)

3-3)재독하기
5-7일동안 다시 재독해봐요. 새로운 문구들이 눈에 띄어요. 펜으로 다시 메모해둬요.

4. 도서리뷰

일독-재독-리뷰단계를 거치면 고전독파 성공!

고전은 왜 읽어야 할까요?

1. 삶의 공허함을 치유하고 싶어요.

2. 나만의 편견을 벗어던지고 싶어요.

3. 삶의 지혜를 얻고 싶어요.

4. 감수성. 공감력을 키우고 싶어요.

5. 나를 객관적으로 보고 싶어요.

6. 자기계발을 하고 싶어요.

7. 아이의 마음을 공감해주고 싶어요.

8. 정신건강을 위한 나만의 루틴을 세우고 싶어요.

9. 나를 사랑하고 싶어요.

10. 타인을 사랑하고 싶어요.

등..등...등...

매일 먹는 한끼 식사처럼
고전도 매일 먹어야 건강해져요.

차례

오늘은 어떤 고전 한스푼 드실래요?

「마음의 친구요. 친한 친구 말이에요.
마음 속 깊은 얘기까지 모두 털어놓을 수 있는
진짜 마음이 통하는 친구 있잖아요.
그런 친구를 만나는 게 평생 꿈이었어요.」

루시모드 몽고메리 <빨강 머리 앤>

PART 1. 어린 시절
IN 고전

01.어린 시절의 회상

네살때 호흡기가 좋지 못해 시작된 시골생활은 9년이라는 시간을 보내게된다. 그래서일까? 나의 어린시절은 무섭고 원망스럽기만 했던 호랑이 친할머니에 대한 기억이 대부분이다.

햇살과 바람으로 맞이한 아침, 서둘러 아들을 등교시킨다. 창밖에서 불어오는 바람이 이젠 가을의 냄새와 온도를 함께 내 몸속으로 흘려보내 준다. 햇살이 너무 강해 커튼을 약간 닫아놓고 소파에 앉는다. 바람에 못 이겨 커튼이 부푼 치마폭처럼 빵빵하게 복식호흡을 하며 안으로 달려든다. 탁자 위에 올려놓은 책으로 커튼 끝자락이 와서 자꾸 간지럼을 태운다. 책 모서리에 커튼이 잡히고야 말았다. 바람이 잦아들어도 다시 부푼 치마폭의 힘을 빼보려 해도 책이 놔주지 않는다. 가끔은 아침에 하는 상상 놀이가 재미있다. 이젠 커튼을 제자리로 돌려보내 준다. 다시 바람과 함께 또 넘실거리며 춤을 춘다. 한복처럼 부풀어 오른 커튼을 바라보며. 어린 시절로 돌아간다.

어릴 적부터 조선시대 말괄량이 소녀처럼 머리 위에 할머니 몸뻬를 뒤집어쓰고 양쪽 다리 부분을 교차시켜 길게 딴 머리를 대롱대롱 늘어트리고. 할머니 한복을 입고 사극 놀이를 즐기곤 했다. 할머니는 동네에서 소문난 무시무시한 호랑이 할머니었다. 매번 혼나면서도 서랍 속에 있는 한복을 몰래 꺼내서 놀곤 했다. 요조숙녀처럼 "그렇사옵니다. 어찌하옵나이까?" 사극 연기를 따라 해 보기도 하고 빙글빙글 몸을 돌리며 팽이처럼 부풀어 오른 치맛단을 보며 까르르 웃곤 했다. 혼나서 울다가도 긴머리 늘어트린 상상 놀이를 즐겼다. 친구들과 늦게까지 고무줄. 땅따먹기 놀이를 하다가도 저녁 6시까지 통금시간을 지키지 않으면 대문을 잠가 버리곤 했다.

명절이면 동네 동생, 친구, 언니, 오빠들과 횃불 들고 이 동네 저 동네 심지어 산까지 행진하기도 하고 회관 앞 사장(큰 나무 주위로 빙 둘러 모래와 의자들로 놀이터를 만들어 놓은 마을의 휴식 공간)을 빙글빙글 돌며 '강강술래~~'노래를 부르며 신나게 뛰어놀아도 할머니한테 공식적으로 저녁 6시를 넘길 수 있는 자유를 누릴 수 있는 날이었다.

열세살 국민학교 6학년 깡마르고 까만 선머슴 같던

나는 미나리 방죽(전남 장흥, 임금님께 특산물로 진상했던 미나리를 키우는 방죽이 온 마을에 가득했다)이 가득한 시골을 떠나 급격한 환경을 마주하게 된다. 중학교 입학을 앞둔 6학년 2학기쯤 서울로 전학온 것은 좀 더 좋은 교육 환경에 대한 엄마의 노력이었다. 전학 후 첫 등교날 교실에 들어설 때 아이들이 수군대기 시작한다. "쟤는 여자야? 남자야?" 숫기가 없다고 생각했던 내가 "나는 여자랑께. 이름은 김인교여. 앞으로 잘 부탁해" 지금 생각해도 등골이 오싹할 정도의 멘트를 날리고 말았다.(지금도 이 생각만 하면 어디서 이런 용기가 났는지 모르겠다) 서울에 올라와 엄마와 제일 먼저 갔던 곳은 동네 목욕탕이었다. 시골 목욕탕보다 하늘만큼 땅만큼 커 보였다. 지독히 깔끔하신 할머니는 매주 일요일이면 언니와 나를 데리고 40분 정도 걸어 읍내에 있는 단골 미장원에서 커트하고(정말 길고 싶은 머리였지만 남자아이처럼 싹둑싹둑 잘라버리곤 했다. 성인이 돼서 긴 머리를 원 없이 해 보게 된다) 바로 2층에 있는 목욕탕에 가곤 했다. 서울에 와서 본 동네 목욕탕의 크기와 시설은 궁궐이 따로 없었다. "엄마. 여기가 목욕탕이야? 징하게 커 부네" 구수한 전라도 사투리로 종달새처럼 쉼 없이 떠들어 댄다. 어느 날 목욕탕에서 까불거리며 탕

속에서 장난 치고 노는데 순간 뽀로록 몸이 잠기는 것이 느껴진다. 콧속으로 물이 한 번에 쓸려 들어와 숨이 막히고. 순간 공포감이 밀려든다. 그 순간 외마디 비명과 함께 누군가의 커다란 손이 와락 들어와 바깥 세상으로 나를 인도해 준다. 순간 매운 코와 놀라움이 뒤섞여 통곡해 버린다. 놀란 엄마와 언니는 어떤 표정이었는지(?) 기억엔 없다(제정신이 아니었다). 그 뒤부터 물이 무서운 사람이 되어버렸다. 성장해서는 수영을 배우며 극복하기도 했지만, 물속에 들어가 다리가 바닥에 닿지 않으면 놀라서 허둥대는 건 아직도 물과 친해지지 못했다는 증거다.

요즘엔 무섭고 원망스럽기만 했던 할머니와의 시골 생활이 자주 소환된다. 지금은 많이 변해 찾아갈 수 있을지 모를 시골이 그리워지기 시작한다. 구박만 한다고 생각했던 할머니였는데. 1년 내내 집안 제사·차례·살림에 우리 자매까지 떠맡으신 상황에서 체력과 마음이 힘들어 화를 자주 내곤 하셨다는 생각이 든다.

할머니에 대한 무서움 속에 호기심 많고 눈칫밥 늘어난 어린 소녀가 보인다. 할머니의 회초리와 눈칫밥이 있었음에도 재잘대던 나는 성년이 되어가며 사회적으로 힘겨운 삶에 억눌리며 재잘거림을 잃고 살아가기 시작한다. 사람은 환경의 영향을 많이 받게 된다. 힘들 때는 마음도 부정적으로 변하게 되니. 삶이 더 힘들어진다.

루시모드 몽고메리 <빨강머리 앤> 앤은 선천적으로 맑고 호기심 많은 아이다. 고아의 고달픈 환경 속에서 억압되며 살다보니 우울한 성격으로 바뀌어 가지만. 입양된 가정에서 자유를 얻게 된다. 자유를 얻게 된 앤은 마음의 평화를 통해 자신의 선천적인 기질인 호기심. 상상 놀이를 자유롭게 펼치게 된다. 과거를 비참하게만 생각할 수도 있지만. 긍정적인 앤은 과거의 고된 경험이 자신에게 소중한 배움이었다는걸 깨닫게 된다.

각박한 세상에 눈칫밥 제대로 겪었으니. 남의 눈치잘 보고 사는 걸 배웠다. 할머니 용돈 야금야금 훔쳐 불량식품 사 먹다 옷이 홀라당 벗겨 방 밖으로 쫓겨나곤 했던 기억은 '돈'에 대한 경계를 확실히 배울 수 있게 했던 극기 훈련이었다. 아픈 추억은 되살리고 싶지 않았다. 하지만 이제는 앤처럼 나도 내 마음에 평화를 주고 싶다. 과거를 아름다운 추억으로 회상해 가다 보니 원망·슬픔·수치심 등이 미소로 흘려보낼 수 있는 지금이 참 좋다. 과거의 아픔은 지우개처럼 지워지지 않는다. 단지 재구성해 가며 아름다운 기억의 물감으로 컬러풀하게 채워가는 수밖에 없다.

루시모드 몽고메리 <빨강머리 앤>

어릴 적 부모님의 사고로 고아가 된 앤은
결국 보육원에 들어오게 된다.
끔찍한 보육원의 생활. 우연인지 필연인지
앤은 마릴라. 매슈 독신 남매의 집에 입양 된다.

티 없이 순수한 영혼을 간직한 앤은
세상을 온통 호기심으로 관찰한다.
상상력으로 자신의 삶을 승화시킨 앤은
남매를 만나며 평화롭게 성장한다.

환경이 바뀌는 극한 상황에서도
나만의 힐링 방법은 있어야 한다.
나는 어떤 힐링무기를 가지고 있는가?

02. 예쁜 여자가 되고 싶어

"애는 하는 행동은 선머슴인데. 맨날 꽃신에 예쁜 것
만 좋아한다니까"
선머슴이란 말도 좋았고. 예쁜 것도 좋았다. 어린 마
음이었는데도 그냥 둘 다 좋았다.

저녁 6시까지 들어와 물레(마루) 위에 요강을 올려
놓고. 그 위에 걸터앉은 후 할머니가 세숫대야에 물
을 담아오시면 발을 씻는 것이 말없는 규칙이었다.
친구들 한테 요강 위에 앉아 발 씻는 걸로 매번 놀림
을 받곤 했다. 회관 옥상에서 훤히 보이는 집이라 어
디 숨을 곳도 없었다. 그래도 동네에서 무섭기로 소
문난 할머니가 '이놈들' 하면 아이들은 회관 옥상에
서 아래로 쪼르르 도망가곤 했다.

조선시대 소녀처럼 길게 딴 머리를 뒤집어쓰고 한복
이나 치마를 걸치고 예쁜 놀이 하는걸 정말 좋아했
다. 하지만 행동은 언니 말대로 선머슴아 였다. 반면
언니는 꾸미는 것보다 집에만 틀어박힌 독서광이었
다. 독서광인 언니는 그림도 잘 그렸다. 백일장에서

글짓기상과 미술대회에서 상을 받아오곤 했던 언니. 언니의 예술적인 재능을 피워보지 못했다는데 생각이 이어지면 지금도 너무나 안타깝다. '아무것도 부럽지 않아'라고 소리치고 싶지만. 언제나 상식이 풍부하고 그림도 잘 그리고 글도 잘쓰는 언니가 무척 부러웠다.

서울에서 아동복 가게를 하시던 엄마는 시골에 오실 때면 예쁜 옷.신발을 사 오셨다. 꽃이 그려진 빨간 구두를 사달라고 졸랐으니. 엄마가 펼쳐놓은 꽃이 달린 구두를 맞이했던 그 기쁨은 아직도 생생하다. 앨범에서 예쁜 구두를 신고 원피스를 입은 새까맣고 깡마른 짧은 머리 소녀가 웃고 찍은 사진이 기억난다. 긴 머리. 꽃구두. 알록달록 빨갛고 분홍 구두. 원피스를 너무 좋아하고. 엄마 구두 신고 또각또각 걸어보고. 숙모 구두 신고 멋스럽게 걸어보고. 매번 이 모습에 할머니는 야단을 치셨다. 그때는 언니가 입는 옷. 신발을 거의 물려받아야 했지만. 그게 너무 싫었다. '나도 언니랑 똑같은 새 신발 신고 싶단 말이야.' 새 신발. 새 원피스 그것도 언니와 똑같이 따라하고 싶었다. 엄마는 그 소원을 들어주셨다. 언니랑 똑같이 입고 언니 졸졸 따라다니고. 언니 친구들 사이에 끼어서 같이 놀러가고. 대책없는 껍딱지였다. 설날은 설빔(예쁜 새 원피스) 입고. 날아갈 듯 동네 어른들한테 세배드리고 500원씩 받아 필름 통에 넣어 예쁜 가방 속에 넣고 다니며 아주 으쓱거리며 다니곤 했다.

피아노 치는 건 여자애들 전유물. 남자애들은 태권도가 당연하다고 여기던 어린 시절. 내가 좋아하는 건 피아노 치는 거였다. 무섭게 가르치셨던 피아노 선생님도 손가락 끝에 힘이 강해서 건반을 잘 친다고 칭찬해 주시곤 했다. 팔딱팔딱 비 오는 날 물 튕기며 뛰어다니기. 치맛자락 붙잡고 고무줄 달인 되기. 달리기 하기 등. 내 어린시절 활동적인 모습에 아들의 모습이 보인다.

성장하며 '남녀 차별'을 경험할때면 울컥할 때가 늘곤 했다. "왜? 왜? 왜? 쟤가 남자라서? 별것도 없는 주제에 나한테 이렇게 했다 이거지?" "어디 두고 보라지." <빨강 머리 앤> 앤의 어린 시절과 남녀 차별에 관한 생각이 참 비슷했다. 하지만 앤은 공부에 경쟁심을 느꼈지만. 나는 공부에는 경쟁심을 느끼지 않았다. 국민학교 시절은 남자애들에게 조금은 기죽고 살았지만. 남녀공학 그것도 남녀 짝꿍인 중학교 시절을 보내면서 까부는 남자애(이때만 해도 여자애가 어디서…. 라며 남녀 선호 사상이 심했다.)나 짝꿍(착한 남자 짝꿍을 왜 이리 귀찮게 했는지. 지금 생각해도 너무 미안하다.) 등짝 좀 후려치는 그런 여자로 성장하고 있었다. 하지만 진짜 좋아하는 대상에게는 말 한마디 못 거는 순진함에 친구를 메신저로 보내다 오해 아닌 오해도 생기곤 했다.

지금도 살림 특히 청소는 덜렁거리고 좋아하는 걸 할 때는 선머슴아 같다. 예쁜 여자로 나이 들어가고 싶다는 생각은 철들어 가면서 외모뿐만 아니라 마음도 함께 아름다워지고 싶다는 생각으로 바뀌었다.

"이젠 아름다운 여자가 되고 싶어"라고 내 안의 어린 내가 말을 건다.

루시 모드 몽고메리
<빨강 머리 앤>

앤은 빨강 머리가 최고의 장애물이다.
착한 아이보다 예쁜 아이가 되고 싶다.
하지만. 사고뭉치로 사랑하는 아주머니.아저씨의
마음을 아프게 하게 되면서 깨달아 간다.

예쁜 아이보다는 보석 같은
생각을 가슴에 담고 사는 초록 지붕 집을
사랑하는 착한 사람이 되고 싶다고 다짐한다.

앤의 다짐을 통해 깨닫는 울림이 크다.
착하다는 의미는 보석처럼 아름다운 마음을
의미하는 건 아닐까?

03. 사극 좋아하는 아이

궁궐을 거닐다 보면 편안함이 느껴진다. 궁궐 곳곳 돌 담·나무·건축물들을 보며 '혹시 내가 궁의 여인이 아니었을까?' (누구나 한 번쯤은 이런 상상을 해보지 않을까?) 하는 재밌는 생각을 해보곤 한다.

까맣고 깡마른 소녀는 사극을 좋아했다. 어릴 적 할머니 옆에서 사극을 즐겨보던 나는 사극에 등장하는 여인네들의 의상과 헤어 스타일에 매료되곤 했다. 할머니가 외출하시면. 작은 방에서 친구 또는 혼자 사극의 여주인공이 되곤 했다. 조그만 여자아이가 "전하 이러시면 아니 되옵니다." "성은이 망극하옵니다" 추억해 보면 미소가 지어진다. 할머니의 치마는 한복 치마가 되고. 보드랍고 얇은 몸뻬(mon pe:여성들이 쉽게 입을 수 있는 고무줄 바지)를 내 머리 위에 쓰여 치렁치렁한 딴 머리를 길게 연출하곤 했다. 곱게 절도 해보며. 목소리도 요조숙녀 사극 버전이다. 선머슴이 어찌 저렇게 노느냐고 언니가 놀리곤 했다.

일주일마다 목욕탕 옆에 붙어있던 미용실에 들러 언

니와 나는 짧은 커트를 당하곤 했다. 지금도 그렇지만 왜 그렇게 머리를 조금이라도 기르면 안 되었는지. 워낙 깔끔하셔서 머리카락이 떨어지는 걸 참지 못하셨던 것인지 이해가 안 되는 추억의 한 토막이다. 차분한 언니는 그냥 받아들였지만. 나는 커트가 너무 싫었다. 예쁘게 긴 머리를 해보고 싶었다. 국민학교 6학년 서울로 다시 올라오며 내 머리는 조금이나마 길 수 있었다. 물론 중·고등학교 두발제한이 있었던 때라 원 없이 길지는 못했지만 말이다. 그래서일까? 단발머리가 어울린다는 말에도 불구하고. 성인이 된 후에도 긴 머리를 고집하는 걸 보면 지독히도 짧은 머리에 한이 맺히긴 했나보다.

마흔이 넘어 생각해본다. 긴 머리가 꼭 좋았던 건 아니었을 수도 있었다. 매번 본인의 의사는 안중에도 없이 좋아하는 긴머리를 길러보지도 못하고 강제로 잘린 것에 대한 반항심은 아니었을까? 가뜩이나 시커멓고 깡말라서 남자아이 같은데 매번 짧게 커트해 버리니 어린 마음에 억울했을 것이다.

어느 날 <바람과 함께 사라지다> 여주인공 비비언리의 허리 쏙 들어간 화려한 드레스에 폭 빠져버렸다.

흉내 내볼 수 없는 드레스였다. 아직 입어보질 못했지만. 곱디고운 한복과 세련되고 화려한 드레스를 입고 있는 내 모습을 상상해 본다. 중년이 가까워지는 나이에도 이런 생각을 할 수 있다는 건 내가 아직은 소녀 감성이라는 증거겠지?

어린 눈에 보인 한복과 드레스는 마냥 아름답게 보였지만. 지금 생각해보면 한복은 여성스러움을 드레스는 화려함으로 나를 유혹했던 건 아닐까? 비비언리처럼 아름다운 드레스를 입고. 궁의 여인처럼 화려함을 입고 싶었다. 지금은 안다. 그 화려함 안에 수많은 슬픔과 고통이 담겨있다는 걸 말이다. 어른이 되며 겉으로 화려하고 아름답게 보이는 것이 다 진실이 아니란 걸 알게 되었다.

부모님과 떨어져 지내야 했던 아이는 예쁜 소녀로 단장하며 외로움을 달랬던 것 같다. 마흔이 넘어 어린 시절 소녀의 마음이 보인다. 이젠 화려한 한복이나 드레스보다 매일 언행을 가꾸어가는 것이 나다운 아름다움이라는걸 안다.

그래도 사극 좋아하는 아이가 놀았던 모습은 재미있

는 추억으로 기억하고 싶다. 앤이 혼자서 자연과 상상 놀이를 하고. 착한 것보다 예쁜 것을 더 중요하게 생각한 것은 그만큼 마음 한곳이 공허했다는 것이다. 대화 할 수 있는 마음의 친구 다이애나와 즐거운 상상 놀이와 역할 놀이를 하며 마음의 평화를 찾은 앤은 예쁜 것보다 자신을 사랑하며 자신의 길을 살아가는 모습이 아름답다는 것을 깨닫는다.

나는 지금 마음속에 진정한 아름다움을 찾는 중이다.

루시모드 몽고메리
<빨강 머리 앤>

보육원에서 입양된 앤은
이름도 멋지게. 예쁜 외모가 되고 싶고
예쁜 옷도 부러워한다.
현실에서 그만큼 충족하지 못했기에
외로운 마음을 달래기 위함이었을 것이다.

자기 외모 중 절대로 바꿀 수 없는 장애물
'빨강 머리"
그래서 색깔을 변신시켜 준다는
염색 약 장사의 유혹에 넘어가
머리 색깔이 더 엉망이 되어버린 후. 깨닫는다.

빨강 머리는 더 이상
앤의 장애물이 되지 않는다.

지금 나에게도 장애물이라고
느끼는 것이 있는가?

04. 사랑과 우정 사이

같은 노래를 들어도 그날의 감정에 따라 슬픔에 젖어
들기도 하고. 즐거움이 배가 되기도 한다. 언제나 발
걸음을 멈추게 하는 노래는 피노키오 <사랑과 우정
사이>다. 이 노래엔 짝사랑(혼자서 좋아하는 사랑)에
대한 추억이 담겨있다.

고3(19세) 감수성이 하늘을 찌를 듯한 나이. 열세살
장난스럽고 귀여운 사랑도(?) 있었지만. 이 수줍은
소녀는 독서실 아르바이트하는 오빠(항상 7살 터울
사람에게 마음이 갔다. 남편도 7살 차이)를 볼 때마다
마음이 콩닥콩닥 설레곤 했다. 숫기가 0%, 밸런타인
데이도 친구를 통해 초콜릿을 전해주기도 하고. 멀리
서 바라보다 눈이 마주치면 부끄러워 도망치는 순
수한 짝사랑을 했었다. 독서실 문 닫는 새벽 2시,집에
가는 시간이었다. 친구는 목표를 향해 2시까지 공부
하고, 나의 목표는 새벽 2시면 그가 봉고차에 학생들
을 태워 집으로 데려다주는 시간을 기다리는 것이었
다. 졸리고 힘들던 새벽 2시까지 기다리다 소녀들 네
댓 명 정도 되는 학생들이 봉고차에 타곤 했다. (아르

바이트생 오빠 2명이 함께 탔다) 선배 언니도 다른 오빠와 썸타는 중이라 새벽 2시에 함께 타고 집으로 향하곤 했다.

차에 타면 어김없이 그는 라디오를 켠다. '사랑보다 더 우정보다 더 가까운~~' 바로 피노키오 '사랑과 우정 사이' 왜 이 노래를 자꾸 듣는걸까? 혹시 친구한테 애인을 뺏긴 걸까? 아니면 우정과 사랑 사이에서 고민하는 걸까?' 집에 도착할 때까지 반강제적으로 듣곤 했다. 이 노래만 들으면 마음이 콩닥콩닥 뛰곤 했었다. 나만의 착각이었겠지만 좋아하는 오빠와 함께 드라이브하며 듣는 노래라는 생각에 설레기 까지 했다.

30년이 훌쩍 흘러갔는데도, 어디서든 이 노래가 들리면 발을 멈추게 하고, 풋풋한 소녀 시절을 소환해 미소 짓게 만든다. 경제적 사정으로 갑자기 이사하게 된 후, 친구에게 전해 들은 얘기는 "그 오빠 독서실 *** 선배랑 결혼해서 배가 남산만 해서 지나가는 걸 반가워서 인사했지, 뭐야" 남녀 사이는 알 수 없다지만. 선배 언니도 다른 누군가와 사귀었는데. 나의 짝사랑을 가로채 버린 거였다. 지금은 미소를 짓지만, 그 당시에는 꽤나 충격이었다.

결국 숫기 없던 나는 숫기 없던 남편을 만나 결혼해서 행복하게 살고 있다는 이야기로 돌아온다. 이젠 능글맞음으로 사랑을 하고 있다. 우리의 풋풋하고 순수했던 첫사랑(첫사랑은 처음의 사랑이 이루어진 것)의 마음을 간직하고 살아가고 싶다. 한창 공부해야 할 시기 짝사랑의 가슴앓이를 일기로 가득 채웠었다. 때론 친구에게 하소연도 하고. 무언가 전해주기도 하면서 말이다. 그때 쓴 일기장을 지금도 보관 중이다. 남편과 일기장을 보며 짝사랑 이야기를 하며 같이 웃었던 것도 추억이 되었다.

알베르 카뮈 <페스트> 알제리 '오랑'이라는 도시가 페스트로 인해 폐쇄된다. 취재차 와 있던 랑베르는 사랑하는 연인을 만나기 위해 탈출방법을 연구하게 된다. 우울한 날 카페에 흘러나오는 노래 <세인트 제임스 인퍼머리>를 들으며 추억에 잠긴다. 아마 연인을 연상하게 하는 노래 가사 때문인듯하다. 집에서도 LP판을 반복해서 듣는다. 도시 폐쇄로 인해 다른 LP판을 들여올 수 없어서라고 하지만. 위로받기 위해 반복해서 들었을 것이다. 나에게는 풋풋한 추억을 소환해

낼 수 있는 노래가 <사랑과 우정 사이>다. 짝사랑의
아픔이 이젠 아름다운 추억으로 이어진다.
어떤 노래가 이렇듯 자신의 경험에 따라 다양한 의미
의 색이 입혀진다.

Baba Blues-St James Infirmary
(세인트 제임스 인퍼머리)

세인트 제임스 병원 하얀 탁자 위에 쓸쓸하고 춥게 죽
어가는 그녀. 가슴이 찢어질 것처럼 아파 차라리 내가
대신 아팠으면 했다. 잘 가요. 하나님의 축복이 있기
를 그녀가 어디에 있든 이 세상을 찾아 다녀도 나 같
은 남자는 만날 수 없을 거라며 미소를 보내며 그녀를
하늘나라로 보낸다는 내용의 노래다. 오랜 연인을 생
각하는 절절함이 배가 된다. 랑베르는 자신이 페스트
로 죽을 수도 있다는 두려움과 함께 그녀를 다시 볼수
없다는 슬픔에 이 노래를 들으며 참 많은 생각에 빠져
들었을 것이다.

알베르 카뮈 <페스트>

알제리 '오랑'이라는 도시에 어느 날부터
쥐들이 밖으로 뛰쳐나와 죽기 시작한다.
죽은 쥐들은 셀 수 없이 늘어가고.
사람들도 죽어가기 시작한다.
페스트라는 무서운 전염병이 선포되고
도시는 문이 폐쇄된다.

가족과 생이별한 사람들과
취재 차 와있던 랑베르.
연인에 대한 그리운 마음과 떠나버릴까
조바심도 들어 탈출을 시도하기 위해
노력해보지만. 결국은 페스트 지원에 나선다.

지친 몸을 쉬며 카페나 집에서 듣는
LP판 음악은 <세인트 제임스 인퍼머리>
(바바 블루스-세인트 제임스 병원)
죽은 오랜 연인을 그리워하는 마음을 담은 노래다.

특별한 노래가 있다면
아름다운 추억을 불러일으킬 수도 있지만.
아픈 추억을 소환해 낼 수도 있다.

나에게 추억을 소환해 낼 수 있는
어떤 노래가 있나?

05. 악대부

바람과 함께 내리던 비가 멈추고 어제 일은 모른다는 듯 하늘은 구름 한 점 없이 맑고 푸르다. 산들산들 바람도 불어준다. 높고 투명한 하늘을 보고 있자니, 할머니에 대한 원망스러웠던 기억 하나가 소환된다.

좋아하던 피아노 학원을 두고 엄마와 할머니가 많이 다투셨던 일이다. 할머니는 남녀선호사상이 무척 강하신 분이었다. 반면 엄마는 남녀가 평등한 교육을 받길 원하셨다. 한없이 인자하신 엄마. 한없이 엄하고 무서우셨던 친할머니는 교육관도 성격도 너무나 달랐다. 엄마는 학교 성적에 대한 교육만이 아닌 다양한 배움을 중하게 여기시는 분(어릴 적 꿈 많은 문학소녀)이었다. 서울에서 아동복 가게를 운영하시며 돈을 보내오셨고. 나와 언니는 피아노 학원을 다닐 수 있게 되었다.

엄하신 피아노 선생님은 손등을 치면서 가르치셨다. 나는 매번 칭찬받았고. 피아노에 소질이 있다는 걸 알게 되었다. 하지만. 할머니는 여자는 비싼 돈 들이며 가르칠 필요 없다고 하시고. 엄마는 힘들어도 보내야 한다고 하시며 두 분이 다투신거다. 지금 생각하면 엄마의 고생이 안타까우셨을까? 그땐 정말 할머니가 미웠다. "가시나를 뭐 하러 그렇게 돈 들여서 가르치냐? 다 쓸데없다니까" 시험 성적표나 숙제도 전혀 관심이 없던 분. '그때… 했더라면' 이라는 후회와 원망은 해봤자 소용없다지만 미련이 남는 건 어쩔 수 없다. 그래도 끝까지 발표회도 나가보고(뒷집 이모가 화장해 주었다.) 지금도 그 연주 멜로디가 생각이 난다. 세월이 흘러 할머니의 남녀 선호 사상이 뿌리 깊은 역사였다는 걸 알게 되었다. 버지니아 울프 <자기만의 방> 여성 작가로서 시대적 남녀 차별에 대한 경험을 사실적으로 묘사한다. 대학에 강의를 하러 가는 길 잔디밭을 걸어가는 걸 제약받는다.

시골 국민학교는 악대부. 축구부가 활성화가 잘 되어 있어 대회도 많이 나갔다.남자아이들은 축구부. 여자아이들은 악대부. 나는 악대부에 들어가고 싶었다. 아코디언. 큰북. 멜로디언도 연주했지만. 가장 멋진 건 하얀 스타킹에 관악대 의상을 입고 봉을 360도 회전하며 발맞춰 가는 선배의 모습이 그렇게 멋져 보일 수가 없었다. 결국 나도 봉을 돌리는데 성공했던 기억은 지금 생각해도 짜릿하다. 악대부에 들어가면 우선. 선생님이 지정해 주신 악기를 연주해야 한다. 달리기는 항상 꼴등인데 자꾸 육상부에서 나를 뽑아가려고 해서 진땀 뺐던 기억도 덩달아 생각이 나 미소가 짓게 된다.

피아노와 악대부에 대한 추억은 음악에 관심을 두었다는걸 깨닫게 해준다. 깡마르고 까만 시골 소녀의 꿈이 보인다. 장기기억을 간직한 뇌가 춤을 추듯 꿈틀거린다. 축구 대회가 자주 있었다. 대회 때 악대부도 같이 출동해야 한다. 연습을 자주 했지만. 축구 대회가 있기 전에는 더 열심히 연습하곤 했다. 콩닥콩닥 심장이 떨린다. 실수하지 말아야 할 텐데. 가장 멋진 순간은 악대부 행진이다. 학교 정문부터 읍내를 가로지르는 행진이었다. 축구부 차가 뒤를 따라온다. 어른들이 보기엔 귀여운 재롱 잔치 정도로 보였겠지만. 나에겐 정말 큰 이벤트였다. 축구 경기 중 응원단 역할도 했다. 우리 팀이 골인하면 악대부도 신나게 연주했다. 프로야구 시즌 치어리더팀이 활약한 것처럼 우리 악대부도 축구팀을 연주와 환호로 응원해 주었다. 고학년에 올라가서도 악대부를 쭉 했다. 언제부턴가 이 짜릿했던 추억을 잊고 살았다. 오늘처럼 구름 한 점 없이 화창한 날 축구 대회가 열리면 '삐삐 빼빼' 힘차게 연주했던 악대부에 대한 장기기억이 뇌에서 '똑똑' 노크해 온다.

6학년 서울로 전학을 온 소녀는 넓은 산. 평야. 신작로를 원 없이 달리던 시절을 다시 누릴 수 없었다. 무서운 할머니와의 어린 시절이었더라고 넓은 산. 들을 놀이터 삼았던 시간이 내 마음속에 보석처럼 담겨있다는 걸 깨닫게 된다. 언제든 문을 열면 어린 내가 활짝 웃으며 튀어나올 수 있도록 잘 저장해 둬야겠다.

남편 고향 지리산 함양에서 거의 2시간을 달려야 나오는 곳, 태어나지는 않았지만. 나의 어린 시절 대부분의 추억이 담긴 그곳!! 꼭 한번 찾아가 보고 싶다. 지인은 아무도 없지만. 추억의 한 조각을 찾아낼 수 있을 거다.

버지니아 울프
<자기만의 방>

이 시대는 여성의 배움이 힘들었고.
배움이 있어도 가정교사가 전부였다.
작가인 나는 초청 강연을 가서도
차별을 받는다. 잔디밭을 건너가는데
여자가 걸어갈 수 없다는 이야기를 듣는다.
동양의 남녀 차별도 만만치 않지만.
서양도 정말 심각했다는 걸 역사는 말해주고 있다.

결국 여자는 자기만의 방.
공간. 교육를 위해 투쟁해야 한다.
자신의 자유를 위해 기존에 남성이
만들어 놓은 교육 제도가
아닌 여성들만을 위한
새로운 교육을 위한 대학을 설립해
독립적인 인간으로 제대로 서야 한다.

어린 시절 남녀차별 없이 자랐다면
지금 다른 삶을 살고 있을까?
미래 세대는 남녀 차별도 아닌
역차별도 아닌 공정한 삶을
누릴 수 있기를 바란다.

06. 행복 소환 핫도그

"무슨 핫도그가 이렇게 생기다 말았대? 엄마 옛날에 먹던 핫도그는……."

"엄마 또 꼰대야?"

"야. 무슨 엄마가 꼰대냐? 엄마도 어릴 때 얘기할 수 있는 거 아냐?"

"알았어요. 우리 엄마 슬펐어요?"

못 말리는 아드님이시다.

그렇다. 자꾸 '나 때는. 내 어릴 적은~~'이라는 말이 이젠 꼰대 같은 말이 되어버렸다. 생각해 보면 나도 어른들의 '라떼'에 대해서도 그렇게 생각했었다. 조금은 씁쓸하지만, 흘러가는 대로 받아들일 수밖에 없다.

소설이라는 장르는 작가의 어린 시절 경험이 많이 담겨있다. 헤르만 헤세 <수레바퀴 아래서> 주인공 한스 기벤트라는 어린 시절 강에서 낚시와 수영을 하며 자연 속에서 성장했다. 하지만. 그의 총명함에 아버지와 온 마을의 기대를 짊어지고 공부에만 매진하게 되면서. 몸과 마음은 피폐해져간다. 중요한 시험을 앞두고 추억 장소를 다니며 알 수 없는 답답함을 느끼게 된다. 나에겐 어린 시절의 답답함도 그리움이다.

통통하고 바삭한 핫도그에 눈처럼 뿌려진 달달한 설탕, 그 위에 뿌린 강렬한 빨강 케첩은 큰 추억 공간을 차지하고 있다. 시골에서 보낸 어린 시절은 무서운 할머니한테 혼나지 않기 위해 '눈치'라는 것을 일찍부터 배우게 된다. 감정 기복도 자주 있으셨던 할머니. 기분 좋게 해드리려고 옆에서 토란 껍질 벗기고, 깨를 털게 되면, 100원이라는 거금을 주시곤 했다. '100원이 뭐래?' 하지만 30년 전이니, 지금으로 치면 1,000원 정도 값어치는 된다. 100원을 받으면 예쁜 치마(할머니는 간따옹꾸 라고 했던 게 기억이 난다. 일본말의 잔재)를 입고 팔짝팔짝 뛰어 동네 회관 겸 전방(슈퍼)으로 달려가곤 했다. 우선 50원짜리 새우깡을 산다. 남은 50원은 다음날 학교 끝나고 좋아하는 '핫도그'를 사 먹을 수 있다는 생각에 무척이나 행복했다. 새우깡 한 봉지 손에 들고 룰루랄라 온 동네를 휘갈고 다녔던 어린 시절. 통금시간 저녁 6시가 넘으면 대문을 잠가버리시는 무서운 할머니. 그래도 끝까지 놀러 다니고 혼나기를 반복한 걸 보면 나도 참 보통은 아니었던 것 같다.

언니, 친구들과 40분 정도 걸어 읍내에 있는 학교에
등교하면 경직된 수업 시간과는 달리 쉬는 시간에 고
무줄의 신으로 등극하고 어쩌다 바바리맨이 등장했
다는 소식에 '어디 어디?' 하며 구경(?)도 했던 기억
이 난다. 핫도그 파는 가게는 집에 가는 길을 조금 우
회해서 언덕배기에 있었던 걸로 기억이 난다. 친구들
과 50원짜리 핫도그를 하나씩 사 들고 입에 베어 무
는 순간 그 바삭함. 부드럽고 촉촉한 소시지. 달달한
설탕. 새콤달콤한 케첩의 황홀한 조합을 아직도 잊을
수가 없다. 주머니는 달랑 0원이 있어도 핫도그의 행
복은 다 먹을 때까지 이어졌다. 다음엔 무슨 일을 도
와드리고 용돈을 받지? 핫도그를 10개나 사 먹을 수
있는 500원을 받을 수 있는 설날 세뱃돈은 필름 통에
차곡차곡 넣어두고. 새우깡과 각종 불량식품도 살짝
사 먹고. 아껴두고 핫도그를 사 먹곤 했다. 그때는 핫
도그 하나로 그렇게 행복했는데, 지금은 어디서 그 시
절처럼 바삭하고 촉촉한 핫도그를 맛볼 수 있을까?

헤르만 헤세
<수레바퀴 아래서>

총명한 한스 기벤트라는 온 마을 사람들의
기대를 안고 공부에 매진한다.
공부할수록 이룬 것도 있기에
자부심도 커진다. 간혹 허영심도 생겨난다.
하지만 몸과 마음이 피폐해져간다.

중요한 시험을 보기 전날
산책나간 추억 장소에서 화가 치민다.
결국 상급학교에 진학하지만.
학교에서도 적응하지 못하고.
결국 안타까운 결말로 이어진다.

어린 시절 추억은 누구에게는 악몽이라면
누구에게는 세상을 살아가는 에너지가
될 수도 있다. 악몽인 어린 시절은
세월이 흘러가며 재구성된 추억으로
소환되곤 한다. 그래서 누구나 고향을
그리워하며 사나 보다.

고향에 대한 향수는 어린 시절의 향수다.
당신은 어린 시절을 소환해 내는
사물이나 장소가 있나?

07. 사찰은 수련의 길

할머니가 외출하실 때는 목적지가 주로 두 곳 이었다. 장흥에서 가까운 바닷가 고흥에 해산물을 사러 가시거나. 사찰에 불공 드리러 가시는 거였다. 사찰에 올라가는 길은 험난한 길이었을 것이다. 언니와 나는 사찰에 따라가 본 적은 없었다. 왜 가본적이 없었을까? 짐작해본다. 어린 손녀들이 올라가기에 험한 길이었기에 걱정 되서 데려가지 않으셨던걸까? 여쭤볼 수도 없는 노릇이다. 기독교인들이 대문을 두드리면 열지 않다가도. 스님이 대문을 두드리면 문을 열고 시주를 하셨던 할머니의 모습이 기억난다. 그래서 가보지는 않았지만. 사찰이라는 곳은 할머니가 믿고 다녔던 장소였구나 생각하며 자랐던 것 같다.

성인이 되고 지방 여행을 하다 보면 사찰을 만나곤 한다. 우리 역사엔 불교가 함께 했다. 높은 산 속에 사찰이 많다는 사실은 절에 오르는 과정이 수련을 거치는 관문이었을 것이다. 험한 산에 오르며 육체에선 땀이 나고 마음과 머릿속은 비워내고 사찰에 도착하면 자신을 돌아볼 마음속 여유공간이 생겼을 것이고. 불공을 드리며 자신을 다독이며 미래를 준비할 힘을 얻을 수 있었을 것이다. 여행을 하며 사찰에 들르면 언제나 경건함과 마음에 평온이 온다. 지금은 아무리 높은 사찰에도 자동차로 올라갈 수 있지만. 되도록 걸어 올라가며. 마음을 비우는 수련을 해본다

아들이 어릴 때도 여행하며 사찰에 걸어 올라가곤 했다. 덥다 지루하다 불평은 했어도 사찰에 도착하면 왠지 모르게 편안한 마음과 경건함을 함께 느꼈다. 성년이 되어가는 아들은 지금도 여행하면 사찰에 들러보는 걸 좋아한다.

올해 여름휴가 때다. 지리산 계곡에서 쉬다보면 오후 4시쯤 서늘해져 집으로 와야한다. 아들이 몇 년 전 올라갔던 사찰에 가보자고 한다. 그땐 비도 내리고 모기떼가 다리를 공략했지만. 무슨 용기인지 차를 산자락 초입에 세워두고. 수건만 들고 사찰로 올라갔다. 모기들이 우리의 몸을 총공격해서 수건으로 휘저으며 춤을 추며 올라갔다. 우리 옆으로 차량 몇대가 천천히 올라간다. (차로 올라가도 되건만 산은 오르고 땀을 흘려야 제맛이라는 우리 가족) 거의 사찰 입구까지 도로를 내어 올라가게 만들어 놓았다.

가파른 길에 도로를 내었을 일꾼들의 고행이 느껴진다. 과거에는 사람이 직접 지게에 돌을 실고 올랐다.(남편은 어린 시절 아르바이트로 형제들과 지게에 돌을 실어 절까지 날라주고 돈도 받고 맛있는 밥과 차를 얻어먹었다는 추억담을 이야기한다). 지금은 산에 길을 낸 건 대량 장비들이겠지만. 결국 사람의 땀방울이 탄탄한 도로를 만들었을 것이다. 일꾼들은 땀을 흘리며 두 손과 발의 근육을 써가며 수련하는 마음으로 길을 내었을 것이다. 사찰을 올라가는 행위부터 불공을 드리는 모든 과정이 자신의 마음을 비우는 수련의 과정이다.

헤르만 헤세<싯다르타> 바라문의 아들 싯다르타는 열반의 경지에 이르기 위해 속세로 들어가 많은 경험을 한다. 석가모니를 만나 가르침을 받았지만 결국 가르침으로 깨달을 수 없다는 것을 알게 된다. '몸소 실행한 경험을 통해서만 깨달음과 지혜를 얻을 수 있다는 것' 그 진리를 알고 인간의 모든 생로병사를 겪어내고 열반에 드는 경지에 이른다. 사찰에 오르는 행위는 고행이다. 땀을 흘린 후 비로소 부처님을 바라보며 간절한 기도를 드리다보면 진정한 깨달음과 지혜를 얻을 수 있게 된다는 것. 삶은 수련의 연속이다.

사찰에 올라오니 거친 숨을 내쉬며 멀리 보이는 몇 겹의 산봉우리들과 조용한 산사에서 듣는 새소리. 목탁 소리. 약수 흘러내리는 소리를 들으며 마음을 정화한다. 우리 가족은 부처님께 두 손 모아 소원을 빌어본다. 산에서 내려올 때는 모기와 같이 바람처럼 빨리 내달린다. 가뿐한 몸과 마음으로 내려오니 온몸은 벌집이다. 고3인 아들이 사찰에 가자고 했던 이유를 올라가서 깨닫게 되었다. 수련의 길이 아들의 소원을 이룰 수 있는 과정이 되었기를 빌어본다.

헤르만 헤세
<싯다르타>

바라문의 아들 싯다르타는
어느 날
깨달음을 얻기 위해 고행의 길을 나선다.
고행을 경험하며 수련도 해보지만,
길이 아님을 알게 된다.

석가모니를 만나 가르침을 받지만
진정한 깨달음은 배움이 아닌
자신이 직접 체험하고 경험해야
비로소 깨달음을
얻을 수 있다는 걸 알게 된다.

석가모니 제자가 되기를 거부하고.
속세로 다시 들어간다.
인간이 겪는 희로애락을 겪어가며.
마지막 열반에 든다.

당신은 지혜를 배움으로 얻을 수 있다고
생각하는가?

「나는 그대들에게 정신의 세 가지 변화에
대해 말하고자 한다.
어떻게 정신이 낙타가 되고,
낙타는 사자가 되며,
사자는 마침내 아이가 되는가를.」

프리드리히 니체
〈차라투스트라는 이렇게 말했다〉

PART 2. 가족
IN 고전

01. 마흔다섯

누구의 말에도 미혹되지 않는 불혹의 나이 '마흔'이 되고. 시행착오를 겪다 보니 마흔 중반이 된 나를 발견한다. 이젠 쉰이라는 인생의 반을 바라보며 살아가야 하는 현실을 실감하기 시작한다.

四十而不惑 (사십이불혹)
40대에는 어떤 상황에도 마음이 흔들리지 않는다.
<논어: 공자 위정4>

마흔다섯, 이제 조금 어른의 길에 접어든 시기. 내 나이를 생각하니 가족들의 나이도 보인다. 아들은 성년이 되가고. 남편은 오십대 초반 중년의 선배가 되고. 엄마는 칠십대 중반 노년을 맞아 조금씩 작아지신다.

엄마의 마흔다섯은 어땠을까? 내 나이 열다섯 중2였을 때였다. 일기장을 들춰보지 않아도 나에게 질풍노도의 시기였다. 친구 따라 강남 간다고 했던가? 착하고 예뻤던 친구가 아빠의 재혼과 계모의 무관심으로 인해 놀기(?) 시작한 것이다. 나도 덩달아 새로운 경험에 빠져들었다. 하교하면 시장에서 아동복 가게를 하시는 엄마에게 인사하고 가방을 던져놓고(가게가 딸린 주택). 친구네 집에 바로 가곤 했다. 친구집에는 새엄마가 안 계실 때가 많았다. 친구와 화장도 해보고. 짧은 치마에 뾰족구두를 신고 밖으로 나와 놀고 오락실에서 노는 친구들과도 만남을 가졌던 일명 날라리로 보낸 시간이 있었다. 친구를 통해 다른 학교 짱을 알게 됐지만. 어리숙한 나를 보호하려 했던 친구. 어느 날 짱의 모범생 언니가 걱정이 되어 우리 부모님들한테 상황을 알리게 된다. 엄마에게 괴로움과 눈물의 시간이었다. 아들의 다양한 경험과 나의 눈물의 시간처럼 말이다.

생각해 보면 그 언니가 참 고마운 존재다. 이후 자세히 기억나지 않지만. 엄마가 우셨을 거다. 지금 내 나이에 말이다. 그 사건 이후 친구와의 사이는 소원해지고. 학교도 그만두고 일찍 나이 많은 사람에게 시집갔다는 소문만 들렸다. 좋은 친구. 아픈 친구였다. 가정환경 특히 부모와 자식 관계가 사춘기에 들어가면 아이들을 통해 그대로 비친다. 경제적인 힘으로도 버거운 마흔다섯 살. 엄마는 정신적으로도 힘드셨을 거다. 어느덧 사춘기를 보낸 아들과 힘겨움도 어느정도 지나갔다. 힘들때면 남편과 함께 해결해나갔지만. 엄마는 혼자서 모든 짐을 지고 사셨던 거다. 내 나이 마흔다섯이 되니 같은 여자로서 마음이 아프고 부끄럽다.

헤르만 헤세 <데미안> 모범적인 가정에서 자란 싱클레어는 사춘기에 접어들면서 악의 세계에 호기심을 느끼기 시작한다. 돌출된 경험을 해보며 고통 속에서 성장을 한다. 나에게도 그런 아슬아슬한 추억이 나를 성장시켰던 계기가 되었다. 과거가 후회와 끔찍함이 아닌 추억으로 남을 수 있는 것도 30년이 훌쩍 지난 마흔다섯이라는 든든한 세월의 힘 덕분이다.

마흔다섯 누군가에는 마음의 안정기에 들어가고. 누군가에게는 사춘기처럼 흔들리는 시기다. 나의 마흔다섯은 흔들림과 안정기의 중간쯤으로 받아들이고 나를 사랑하고 싶다. 남의 말에 휘둘리지 않고. 내가 선택하고 결정한 길이 최대한 현명한 길이기를 오늘도 인생을 공부하고 배우고 실천하는 '수련'이라는 친구와 보낸다.

엄마에 대한 원망이 감사함으로 바뀐다. 정신·육체적으로 힘들었을지라도 '사랑'이라는 큰 힘으로 나를 안아주셨기에 지금 이렇게 건강하고 밝게 중년을 맞이할 수 있다. 마흔이 넘으면 이제는 부모·과거를 탓하는 시기가 아니다. 내 얼굴을 내가 만들어 가는 시기가 바로 지금이다.

똑같은 삶을 되풀이하는 니체의 '영원 회귀'를 부정하고 싶었다. 하지만. 지금 순간 몰입해서 하루하루를 의미 있게 보낸다면. 이젠 영원 회귀도 두렵지 않은 마흔다섯이 될 수 있다. 인생 제2막의 시작 마흔 다섯, 인생이 주는 보석같은 선물이다.

프리드리히 니체
<차라투스트라는 이렇게 말했다>

니체는 자기 삶의 수련을 사람에게 상처받고
산으로 올라간 차라투스트라를 통해 보여준다.
수련을 통해 다시 관계 속으로
스며든 니체는 사람을 사랑했다.
그랬기에 그들이 깨어있기를 원했다.
'신은 죽었다' '영원회귀'를 외친 이유는
결국 사람을 사랑하기 때문이 아니었을까?

나는 지금 사람들을 사랑하려고 한다.
우선 나 자신이 단단해져야 한다.
니체는 정신의 세계를 인내심 강한 '낙타'에서
자유로움을 추구하는 '사자'로 성장시키고.
마지막 최고의 정신세계는 어떤 고정관념도
없는 순수한 '어린아이'로 비유했다.

이제서야 낙타에서 벗어나 사자를 꿈꿔보고
싶은 마흔다섯

당신은 지금 어떤 시기에 와 있는가?

02. 러브스토리

우리 부부 러브스토리는 거짓말 조금 보태 책 한 권 가득 채울 분량이다. 세 잎 클로버(행복 3)와 네 잎 클로버(행운 4)가 결합한 소중한 7이라는 숫자는 나이 차이와 연예의 세월이다.

여러 가지 문제로 반대에 부딪혔지만 몰래 연예하며 사랑을 지켜왔다. 당시는 삐삐를 사용했던 시절이었다. 숫자를 통해 마음을 담거나 음성 메시지를 보내거나 연락받을 번호가 화면에 찍히면 공중전화(물론 몰래 연예의 고생스러움이지만. 지금 생각하면 참 설레이는 사랑을 한듯 하다)로 달려가서 통화를 해야 했던 시기였다. 어느 날 퇴근하며 같이 오던 지하철역에서 언니와 마주쳤고. 언니는 불같이 화를 내며 둘은 더 이상 만날 수 없다고 헤어지라고 했다. (드라마의 한 장면이다. 결혼 허락 이후 언니가 사과했던 게 생각이 난다) 철없던 나는 그 상황이 너무 짜증이 났다. 오빠에게 "우리 헤어져요. 그만 만나요" 이렇게 말을 해버린 거다. 오빠는 "다시 생각해 볼 수 없겠니?"라고 말했다. 헤어져 집에 와버린 나. 그런데 웬걸. 다음

날 너무나 보고 싶어 몰래 삐삐를 쳐서 통화를 하고 친구 만난다는 핑계(이때 찬스를 썼던 친구가 있었다.) 지하철 교차점에서 만났다. "우리 이대로 떠나버릴까?" 남편은 "아니야. 조금만 참자. 시간이 지나면 우리 사이도 허락해 주시고 웃을 날이 올 거야" 혼자 헤어지자 다시 만나자, 지금도 나 혼자 화났다 풀렸다 이 모습은 철없는 소녀 그대로인 듯하다.

두고두고 기억 나는 한편의 스토리가 있다. 어느 날 집 근처 지하철역에서 데이트 중인데. 엄마가 단골 미용실에서 갑자기 나를 호출했다. 남편은 기다리겠다며 저 멀리 걸어갔고. 나는 미용실에서 머리를 하게 되었다. 그런데 시간이 3시간이 지나버린 거다. 지금처럼 핸드폰이 있었다면. 어떻게라도 연락했겠지만. 나도 속이 타고 설마 갔겠지? 밖을 나온다. 저 멀리 남편(그때는 오빠)이 보인다. 엄마에게 보일까 멀리 서 있는 사람. 나는 눈물이 핑 돌고 말았다. '오빠 미안해. 그래도 지금은 못 보겠다.' 멀리서 살짝 바라본 후 엄마를 따라서 집에 와버렸다. 다음날도 내색하지 않고 잔잔하게 사랑해 주던 남편. 얼마나 답답했을까? 그때는 핸드폰도 카페도 드물었던 시절. 마냥 기다렸지만. 그냥 또 가야 하는 상황. 얼마나 자존심이

상했을까? 얼마나 슬펐을까? 간혹 그때 일이 생각나서 말하면 "그때 내가 잘못했지. 안 그랬으면 내가 너한테 잡히지도 않았을 텐데" 웃어 넘겨버린 과거의 아릿한 추억이다.

서머싯 몸 <달과 6펜스> 바보스러울 정도로 순정파 화가 스트로브는 아내 블란치가 스트릭랜드와 떠나버리려고 할 때도 언제든 다시 돌아오기를 기다린다며 매달린다. '자신보다 아내를 더 사랑하고 있다는 것. 사랑에 자존심이 개입하며 그건 상대방보다 자신을 더 사랑하는 것'이라고 말한다. 자존심이 뭘까? 자만심도 아닌 자존감도 아닌 그 중간 정도의 감정일까? 그 당시 남편이 자존심이 무척 센 사람이었다면. 우리의 지고지순한 사랑을 지켜갈 수 있었을까? 자존심이 사랑이 아닌 집착일 수도 있겠다는 생각도 해보았지만. 남편의 경우는 나를 지켜주는 사랑은 자존심이 아닌 자존감이 아니었을까 하는 생각이 든다.

7년 연애하며 그때는 차가 없었기 때문에(사랑군 낳고 산부인과 퇴원하는 날 차를 사 온 남편) 지하철·기차·버스를 타고 데이트를 많이도 다녔다. 같은 회사에서 지점이 나뉘어서도 지하철 교차점에서 365일 1

시간이라도 만나야 했던 잔잔한듯 불붙던 우리의 사랑. 결혼을 허락받고 무박 2일 정동진 여행, 일출을 보려고 했지만. 배고파 밥 먹는 사이 해는 저 멀리 떠버렸다. 그래도 행복함과 자유로움을 느낀 날이었다.

연예 6년이 흐른 어느 날 언니가 만나는 사람이 있어 궁합을 보러 가신다는 엄마 (무교지만 엄마는 중요한 일이 생기면 점을 보러 가곤 하셨다) 몰래 연예 중인 나에게 엄마가 넌지시 물어보신다. "너희 아직도 만나고 있냐?" 그래서 나는 당당하게 "당연하지" 큰 한숨 흘리시더니(지금 생각하니 얼마나 기가 막히셨을까 싶다) 남편의 탄생일을 물어보신다. 점을 보고 오신 엄마의 첫 마디에 놀라고 말았다. 언니가 만나는 사람은 첫인상이 차갑고 하얀 피부에 말할 때도 여자를 무시하는 말을 했었다. 내심 마음에 들지 않았다. 점을 맹신하는 건 아니지만. 평생 여자가 둘이라는 소리에 언니도 바로 헤어졌다. 반면 깍두기처럼 넣은 우리 사주는 남편이 나를 평생 감싸 안으며 산단다. 그리고 남편도 3년의 힘든 시기가 오는데 나로 인해 잘 이겨낼 수 있다는 궁합이라니 이렇게 좋아도 되는 것일까? 언니 덕분에 힘든 연예는 마침표를 찍고 결혼이라는 새로운 여행을 시작하게 된다.

남편은 나를 감싸 안으며 살아가고 있다. 부정적이고 날 선 나는 긍정적이고 유한 성격을 지닌 남편과 살아가며 행복 바이러스에 전염되어 갔다. 아들 낳고 워킹맘으로 살다 보니 조금은 철없는 사랑을 이어갔다. 지금은 투닥거리긴 하지만 진한 사골국 같은 그런 사랑을 하고 있다. 힘든 연예 시기 동안 남편에게 쓴 편지들이 잘 보관되어 있다(이 편지들을 나중에 모아서 결혼 때 가져온 남편). 비밀 일기장에 내 마음이 투영된 시를 필사 해 두었다 남편에게 주곤 했다. 그때는 몰랐지만, 중고등학생부터 시작된 시와 글쓰기는 큰 치유가 되어주었다는 걸 이제야 깨닫게 되었다. 기록은 우리 부부의 역사가 되었다.

<외눈박이 물고기의 사랑> 류시화
두눈박이 물고기처럼 세상을 살기 위해
평생을 두 마리가 함께 붙어 다녔다는
외눈박이 물고기 비목처럼 사랑하고 싶다.

10월이면 결혼 20주년이 된다. 연예 7년까지 합하면 27년 내 삶의 반 이상을 함께 한 사람. 무뚝뚝하지만 한 번씩 내뱉는 말에 박장대소를 하게 만드는 남편에게 "당신. 다음 달이면 우리 20주년이네. 연예랑 합하면 27년이네. 진짜 시간도 빠르네" 말하니. 남편은 이렇게 말한다. "그럼 3년만 더 살면 우리 이젠 그만 살 때도 됐구만" "에구. 나는 귀찮은데. 그냥 이대로 살고 싶은데. 왜? 당신은 새장가 들고 싶어?" "아이고 귀찮아. 내 한 몸도 힘들어. 그냥 나 혼자 편히 살 거야" "나도 누구 다시 길들이려면 힘들어. 그냥 편히 살 거야" 결론은 그냥 살자는 것으로 웃고 넘긴다.

남편의 머리가 본격적으로 희끗희끗 해지기 시작할 무렵부터 집에서 염색을 해준다. 지난 일요일 짧게 깎고 온 머리에 염색약을 바르며 남편의 머리카락 사이사이에 돋아난 셀수없는 흰머리에 짠함이 커진다. '검은 머리가 파뿌리 될 때까지' 친숙한 결혼 서약이 있다. 서로에게 진실한 힘이 되어주는 찐사랑이 시작됨을 느낀다.

서머싯 몸
<달과 6펜스>

천재 화가 폴 고갱을 모티브로
'스트릭랜드'라는 인물이 등장한다.
그의 천재성을 알아보지만,
자신의 그림은 판단할 수 있는 능력이 없던
바보스러운 화가 스트로브는
스트릭랜드의 괴팍함과 냉혈 함에도
마냥 지고지순하다.
사랑하는 아내 블란치에 대한 사랑도 너무나
지고지순했던 인물이다.

이성에 대한 사랑이든
자신이 동경하는 대상에 대한 사랑이든
'자존심'이 아닌 '자존감'이 있었다면.
짝사랑이 아닌 서로를 진심으로
사랑하게 되지 않았을까?

지금 나는 사랑하는 이에게
자존심을 더 내세우고 있는건 아닐까?

03. 우리 예쁜이 잘 가!

"우리 예쁜이 사진 좀 찍어서 보내줘.
진짜 이별이네" (지금도 눈물이 핑 돈다)

아들이 태어나던 날은 1월이라 무척 추웠다. 사랑이 (아들 태명)의 동생으로 태어난 우리 집 예쁜이 자동차. 18년이란 세월을 우리 가족과 함께 해왔다. 나이가 들어. 녹슨 신체들이 곳곳이 삐걱거리고 부식되어 파편 조각을 내비칠 땐. 소스라치게 놀라곤 했다. 결국 사람도 나이 들면 몸 구석구석 녹슬어 부서져 내리겠지?

7년 연애 기간 중 우리의 주요 데이트 코스는 지하철역이었다. 안 가본 지하철역이 없을 정도로 데이트 코스는 다양했다. 4호선 노원역 근처에 살때는 헤어지기 싫어, 종착역 당고개역까지 가서 다시 지하철을 타고. 집으로 향하던 기억. 자동차가 없어 불편했다기보다는 지하철.기차 여행을 다니며 함께여서 행복함이 더 컸다. 눈물도 반대도 참 많았던 연애 기간이었지만. 둘이 함께 한 시간은 환한 태양이 비추듯 마음속에 큰 행복을 안겨주었다. 신앙보다 강한 건 진실한 사랑이라는걸. 남편을 통해 알게 되었다.

사랑군이 힘찬 발차기로 세상에 태어난 날. 모유 수유를 했던 기억. 모든 게 엉성하지만, 행복했던 기억들. 젖 먹던 힘을 쓴다는 것이 어떤 의미인지 알게 해준 아들이었다. 빈 젖을 1시간 이상 빨며 힘을 쓰던 아들. 지금도 기억이 선명하다. 출산 후 2박 3일 퇴원하는 날. 눈부시게 하얀 예쁜이가 병원 앞에 대동하고 있다. "무슨 차야?" "우리 차지!" 남편은 이런 사람이다. 말 없이 감동을 주기도 하고. 행동을 보이는 사람. (막달까지 힘들게 회사다닐 때도 운동해야 한다고 하더니 아이를 낳자마자 바로 예쁜이를 데리고 오다니) 우유부단하게 보이지만 결정할 땐 화끈하게 밀어붙이는 남편이다.

우리 가족은 사랑군과 3일 차이로 동생을 얻게 되었다. 유별나게 활동적인 사랑군과 유별나게 이상적인 엄마가 만나 예쁜이는 쉬지 못하고 마라톤을 해왔다. 평일은 남편의 친구로. 주말은 우리 가족의 든든한 친구로 전국을 다니게 된다. 캠핑을 하게 되면서. 예쁜이는 무게감까지 견뎌내야 했을 것이다. 18년째 잦은

병원 신세를 지기 시작한다. 사람이라면 의료보험 만기가 된 건가? 그래도 정말 오래 잘 버텨줬다. 주인장님이 워낙 예뻐해 주니 이 녀석도 그 마음을 알았을 것이다. 며칠 전 전화로 "차 폐차했네. 내일 차 가지러 온다네" 눈물이 핑 돈다.

"우리 예쁜이 잘 가! 그리고 고생했어. 이젠 편히 쉬어!"

살아있는 생명체에게 주는 사랑처럼 사물에도 사랑을 줄 수 있다. 사물도 사람에게 사랑을 줄 수 있다. 사람도 사물도 끝이 있다는 것. 행복한 추억을 많이 만들면 그걸로 충분하다는 것. 예쁜이를 통해 '행복'의 의미를 다시 되뇌인다.

어니스트 헤밍웨이
<노인과 바다>

멕시코만 바다에서 84일째
아무 고기도 낚지 못하던 노인 어부 산티아고는
언제나 함께 다니던 소년 마놀린과
수족 같은 관계였지만. 무능력으로 인해
소년과 함께 낚시할 수 없게 된다.

어부라는 신념으로 산티아고는
혼자 배를 타고 거친 바다로 향한다.
청새치. 상어와 싸우며
온몸이 상처투성이가 되어가며
가장 힘든 건 외로움이었다.
'마놀린만 있었다면'
수없이 불러보지만, 대답은 없다.
함께 하는 것 자체가 행복이었음을 깨닫는다.
만신창이가 되어 집으로 돌아온 산티아고는
청새치가 뼈만 남았어도 편안한 미소를 짓는다.

옆에 사랑하는 존재가 함께 있다는 것.
고통이 지난 후에 사랑도 행복도 더 깨닫게
된다는 것을 알게 된다.
우리의 삶도 지나고 나서야 행복이었음을 깨닫는다.
지금 내 곁에 소중한 행복을 찾아보는 건 어떨까?

04. 마음 연고

김장철이 다가온다. 김장 독립 4년째가 된다. 작년에는 형님 내외분과 시동생 농장 배추를 직접 캐서 김치를 담갔다. 첫 김장 도전은 친정엄마가 오셔서 감독을 해주셨다. 믿음직한 사위가 있으니 웃으시면서 차근차근 재료와 과정을 알려주셨다. 첫 김장을 도전할 때는 절임 배추를 주문했다. 김장하기 위한 첫 번째 관문은 마늘 껍질 까기다. 매운 것부터 잘 견뎌야 다음 관문을 지나갈 수 있다. 얼굴 보며 이야기할 시간이 부족했던 부부가 마늘을 사이에 두고 오랜만에 대화를 하다 보니 티격태격한다. 뭐든 꼼꼼하게 다듬고 정리의 달인인 남편 눈에 만족스럽지 않아 자꾸 잔소리하니 나는 더 속도가 나지 않는다.

하얀 통마늘이 어느 정도 쌓일 즈음 오른손 엄지손가락 부위가 아려오기 시작한다. 비닐장갑 위에 목장갑까지 끼어본다. 고통은 더 심해지고 본격적으로 엄지손가락 끝에서 스프링이 통통 뛰고 뜨거운 열기를 띠더니 통증이 반복된다. 평소에 웬만한 통증은 지나치곤 했지만. 참을 수 없다. "아이고 얼마나 다듬었다고 마늘 독이 올랐대? 얼음물에 폭 담가봐" 마늘 껍질을 까는 데 힘 좀 쓰던 이웃 손가락들도 후끈 달아오르며 통증을 거든다. 열을 내리기 위해 얼음찜질로 아픈 부위를 냉동시켜 본다. 남편이 오래 묵혀 끈적이는 밴드를 가져오더니 후끈거리는 손가락들에 밴드 를 돌돌 말아버린다.

마늘 독이 오른건 처음이다. 바셀린. 화상연고를 발라야 한다. 미련하게 고통을 참으면 제대로 고생한다. 바셀린 성분이 들어있는 마데**을 바르고. '안 아프다. 안 아프다.' 나 자신에게 최면을 건다. 생각을 다른 곳으로 보내며 본격적으로 김장 준비에 돌입한다. 신기하게도 통증이 가라앉는다. 잠자기 전 밴드를 떼어내니 공기를 못 쐬고 물만 먹은 쪼글쪼글한 아기 피부가 나온다.

손가락 한두 개 아프다고 이리 엄살인 거니? 무시했다간 큰코다친다. 마음속에 작은 상처로 이리 엄살인 거니? 무시했다간 더 큰 상처로 구멍이 뻥 뚫려버릴 거야. 머리가 쭈뼛 서도록 아픈 상처는 연고로 아물지만. 마음속이 저릿한 아픈 고통을 낫게 해줄 마음 연고는 없다. 마음 연고는 내 안의 내가 긍정의 양념을 넣고 만들어야 바르고 아물 수 있겠지?

외적인 상처의 흔적은 시간이 지나면 사라지지만. 내적인 상처의 흔적은 망각이라는 선물이 있어 살 수 있다. 마음 연고. 망각의 선물을 많이 만들고 싶다. 마늘 독에 대한 고통은 잊고. 마늘을 다듬는 일은 올해에도 반복 된다. 모든 과정을 거치고 신선하고 맛있는 김치 맛을 본 순간 힘든 고통은 모두 사라진다. 망각은 인간에게 선물이다.

출산의 고통은 잊지만. 기쁨은 생생한 걸 보면. 선택적으로 망각할 수 있는 보너스도 좋다. 어니스트 헤밍웨이 <노인과 바다> 산티아고가 온몸에 상처를 내며 물고기를 잡더라도 그 상처는 아물 수 있다. 하지만. 내적인 고통은 자신을 더 단단하게 만들 수 있기에 다시 거친 바다로 나갈 용기를 낼 수 있다. 우리 삶도 어떤 일에 대한 좌절로 그 상처가 오래 남아 다시 도전해 볼 용기가 사라질때가 있다. 하지만 스스로 만든 마음 연고를 아픈 곳에 꾸준히 발라주다 보면 그 상처는 아물기 시작한다. 긍정으로 재구성된 삶에 다시 도전해 볼 용기가 고개를 든다.

어니스트 헤밍웨이
<노인과 바다>

어부를 그만둬야 하나?
하지만 그는 자신의 신념을 포기할 수 없다.
노 어부는 바다로 향한다.
대형 청새치가 걸려들었다.
청새치와 사투를 벌이면서.
두 손은 상처투성가 된다.

상처투성이 된 두 손을 바다에 담그고.
상처가 있는 몸 구석구석에 바닷물로 닦아 낸다.
바다는 상처를 치유해 주는 선물이자.
산티아고의 상처 입은 자존감을 치유해 줄 수 있는
마음 연고의 역할을 해준 듯하다.

그래서 노인은 바다를 사랑할
수밖에 없는 것이다.

나도 마음연고를 가지고 있겠지?
아니면 지금부터 열심히 만들어야겠다.

05. 이스털린의 역설

고1 사회과목이 암기공부임을 파악한 아들이 열심히 EBS를 듣고 필기를 한다. 어릴 적 명필 실력을 다시 보여준다. 빽빽한 필기를 보란 듯이 내미는 아들이다.

민주주의. 주권. 인간 중심 사회. 생태 중심 사회 등 엄마에게 설명해 준다. 공부는 스스로 하는 것으로 생각하는 엄마와 아들이다. 간혹 엄마에게 자랑하고 싶은 게 있으면 이렇게 내밀며 설명을 해주곤 한다. 평소에 말이 없는 아들(집에서만 그렇지, 밖에서는 개그맨 수준)이 이런 모습을 보이면. 나는 맞장구를 쳐주면 된다.

"이스털린의 역설? 이 어려운 용어는 무슨 뜻이래?"
"이스털린의 역설은 우리가 어느 정도 돈으로 채워지면 계속 돈이 생긴다고 해서 행복이랑 비례하는 건 아니라는 얘기지"
아이들 교과서에 철학적인 내용이 담겨 있다는 걸 깨닫게 된다.
"아들도 그렇게 생각해? 돈이 계속 많아지면 좋을 것

같지 않아? 지금은 경제적으로 어떤 것 같아?"

"지금도 좋지. 글쎄 돈이 더 많다고 행복할지는 모르겠는데?" 흐뭇한 마음이 든다.

자본주의 사회에서 어른들도 휘청인다. 10대 아이들은 양성평등. 디지털 세상. 가짜가 진짜처럼 보이는 세상에서 살아갈 것이다. 진짜인 것을 알아볼 수 있고. 삶에서 무엇이 중요한지 스스로 경험하며 배워갈 것이다.

리처드 이스털린은 미국 경제학자다. 그의 20대는 다소 희망적인 사회였을까? 나의 20대를 돌아보니 이스털린의 역설에 동의하고 싶지 않은 삶을 살았던 시기였다. 그래도 행복을 돈이 결정하는 건 아닐 것이다. <행복은 성적순이 아니잖아요.> 영화처럼 '행복은 돈이 결정하는 건 아니잖아요' 하지만 자본주의 사회에서 '어느 정도'의 부는 있어야 한다는 것을 부정할 수 없다.

아이들은 사회 교과서 내용을 보며 단순 암기로 외우지만 자본주의 속에서 자기 행복의 기준을 생각해 볼 수 있는 마음 교육이 있었으면 좋겠다. 부모로서 아이들의 경제관에 대해 더 고민해 보게 된다.

이스털린의 역설 (Easterlin paradox)

소득이 일정 수준을 넘어 기본 욕구가 충족되면 소득이 증가해도 행복은 더 이상 증가하지 않는다는 이론이다. 미국 경제사학자 리처드 이스털린이 1974년 주장한 개념이다. <중략> 하지만 2008년 미국 펜실베이니아대 와튼스쿨의 베시 스티븐슨 교수팀은 이스털린의 설문보다 더 광범위한 실증 조사를 통해 이스털린의 주장이 잘못됐다고 반박했다. 스티븐슨은 "132개국을 대상으로 지난 50년간 자료를 분석한 결과 부유한 나라의 국민이 가난한 나라의 국민보다 더 행복하고, 국가가 부유해질수록 국민의 행복 수준은 높아졌다"라고 말했다. <출처 : 한경 경제용어사전>

베시 스티븐슨 교수의 연구 결과에 반기를 들고 싶다. 우리나라가 선진국 계열에 올라섰지만, 출산율도 세계 꼴찌에 행복 지수도 하위권이다. 선진국이 후진국보다 더 행복을 누릴 수 있는 건 경제적인 부일 수도 있겠지만. 행복과 경제적인 부를 비례관계로 해석하는 건 분명 한계가 있다. 루시모드 몽고메리 <빨강 머리 앤>은 다이아몬드보다 자신의 초록 지붕 집이 가장 소중하다고 했고. 마크 트웨인 <톰 소여의 모험> 허클베리 핀은 부잣집에 입양되었어도 다시 자신의 통나무집으로 돌아와 행복함을 느낀다. '행복은 경제 순이 아니에요'라고 외치고 있다. '이스털린의 역설' 을 통해 행복을 다시 생각해보는 시간이었다.

F 스콧. 피츠 제럴드 <위대한 개츠비> 개츠비는 경 제적인 부를 이루었지만. 자신의 장례식에 찾아와 주 는 이가 없다. 니코스 카잔차키스<그리스인 조르바 >파란만장한 삶을 살았지만. 마지막 눈을 감을 땐 사 랑하는 조르바 곁에서 눈을 감은 오르탕스 부인. 장례 식에 북적거리는 사람들. 자유로운 영혼 조르바의 아 무것도 가진 것이 없어도 멋지게 죽음을 맞이할 수 있 는 모습을 보며. 진정한 삶은 부가 기준이 아님을 알 게 된다. 개츠비의 삶과 조르바의 삶 당신은 어떤 삶 을 살고 싶은가?

니코스 카잔차키스
<그리스인 조르바>

그리스인 조르바는 자유로운 영혼의 소유자
자유엔 책임이 따르기에
그리스를 위한 독립운동에 뛰어들고
자기 일을 할 때는 온 힘을 다해 집중하고.
모든 순간 열정적으로 몰입하고.
인간의 본능에 충실한 인물이다.

먹는 기쁨과 여유를 부릴 줄 알고.
남을 측은해하는 따뜻한 마음도 지녔다.
자신은 가진 것이 없고.
화자인 두목의 돈으로 먹고살지만.
두목은 조르바를 너무나 동경하기에
서로 격려를 해주며. 삶을 응원해 준다.

<그리스인 조르바>는 실제 인물을 바탕으로 쓴
소설이자 동경하는 인물을 그려낸 것이다.
작가의 이름이 곧 조르바와 동일시된다.
카잔차키스의 묘비명에 새겨진 글은
돈이나 물질에 얽매이지 않은 정신적인
자유를 위한 투쟁이 그대로 담겨 있다.

「나는 아무것도 바라지 않는다.
나는 아무것도 두려워하지 않는다. 나는 자유다」

06. 사랑

◇◇◇◇◇◇◇◇◇◇◇◇◇◇◇◇◇◇◇◇◇◇◇◇◇◇◇◇◇◇◇◇◇◇

연예 7년. 결혼 20년 우리가 함께한 세월 27년째다. 로맨틱함이 메말라가기 보다는 남편에 대한 배려심. 사랑이 더 깊어지고 있다. 건강하게 힘든 시기를 잘 견뎌주는 것만으로 남편에게 고맙다. 나이가 들수록 남편을 바라보고 있으면 마음이 애잔해진다.

결혼 15주년째 "결혼기념일은 꼭 여자만 챙겨줘야 하는 법이 어디 있어?" 이 말에 무척 서운함을 느꼈다. 외식을 하면서도 마음속은 차지 않고 우울과 쓸쓸함이 남았다. 서머싯 몸 〈달과 6펜스〉 가정에 충실했던 스트릭랜드는 아내의 삶과 취미에 불편함이 없게 해주었지만. 자신은 몰래 좋아하는 그림을 그려가며 일에 찌든 마음을 달랬다. 결국 아내의 허영심에 지치고. 그림을 그려야겠다는 강렬한 욕구에 가정을 버리고 떠나버린다. 지금 나는 나를 위한 삶을 산다. 하지만 남편은 육체와 정신적으로 일과 가정에 찌든 삶을 살기에 조금은 하소연을 하고 싶었을 것이다. 남편의 마음을 더 들여다보게 되었다. 결혼기념일날 여자가 선물이나 이벤트를 받아야 한다는 프레임이 깨지니

서운함이 사라진다. 남녀평등을 주장하지만. 남편에게 나는 평등하지 못했다는걸 깨닫게 되었다.

매년 결혼 기념일이 되면. 웨딩촬영 사진을 뒤적거리곤 한다. 요즘 사진과 비교해보면 나이듦은 보이지만. 표정이 편하게 느껴진다. 나이들수록 편안한 표정은 내적으로 풍요로워진다는 것을 의미한다. 시간과 함께 쪼그라들기 시작하는 남편. 늘어가는 희끗희끗한 머리. 불경기로 인해 스트레스와 불안감 심적인 변화. 몸과 마음이 많이 지쳐가는 남편을 보고 생각한다. 나이 들수록 혼자가 아닌 함께 편안한 표정이 될 수 있도록 남편의 미소를 찾아주고 싶다.

19주년 결혼기념일이다. 무심한듯 남편이 말한다.
"오늘은 우리가 기분 내야지. 그렇지?"
"당신 오늘 무슨 날인지는 아나 봐. 그렇게 말하는 거 보니."
"당연이지. 잘 알고 있지"

마주 보고 앉아 밥을 먹는다. 평범한 시간이 거의 없었던 것 같다. 매번 새벽에 출근하고. 저녁 늦게 퇴근하면. 나는 거의 뒤통수를 보이며. 줌으로 무언가를 하고 있고. 남편은 준비해 놓은 밥을 우적우적 씹어 먹으며. 줌을 같이 듣거나. 유튜브. 텔레비전을 보거나 따로 또 같이 보낸 시간. 그렇게 사는 거라고 정당성을 부여하지만 마음속에 찝찝함이 남아있는 건 어쩔 수 없었다. 오늘은 소박하지만. 한 상 준비해 둘이 알콩달콩 얘기하며 오래전에 받아두었던 복분자주를 꺼내 달콤하게 입안 가득 채운다. 기분좋게 저녁을 먹다 건배사를 한다. "당신 고생했어요. 이제는 우리가 살아온 것보다 2배이상 함께 해야하니 힘내자고요!" "2배나? 이젠 우리 그만 살 때도 된 것도 같은데?" 이런 말이 이젠 농담이다. "그렇지. 어디 보자 2배라면 우리 40년은 더 살아야 하는 거야. 힘내자고!" 잔을 부딪친다.

가끔은 미래에 대한 불안과 두려움이 휘몰아칠때가 있다. '공허'라는 덫에서 허덕일 때도 있다. 공허함은 내 자신만이 채울 수 있다. 함께 소박한 저녁을 먹고. 술 한 잔 기울이며. 이야기 나누고. 웃을 수 있는 것이 행복임을 받아들이니 마음이 채워진다. 아들은 자신의 인생을 찾아. 열심히 살아가고, 우리 부부도 이렇게 자연의 순리대로 살아가는 거다. 자연의 순리를 받아들이기 위해서는 내적 사랑이 필요하다.

남편을 위한 서비스 타임. 아로마 소금(천일염에 천연 에센셜 오일을 넣어 만듦)을 따끈한 물에 몇 방울 떨어트려 주니 남편은 피로에 지친 발을 담그고, 은은한 향과 함께 편안해 보인다. 샬럿 브론테 <제인 에어> 제인은 많은 나이 차이에도 불구하고 가정교사로 있던 대저택 주인 로체스터와 진실한 사랑을 찾게 된다. 제인은 눈이 멀어버린 로체스터에게 눈의 역할을 해준다. 부부로 산다는 건 서로의 노력이 절대적으로 필요하다는 걸 깨닫는다. 로맨틱한 사랑으로 시작했기에 끝맺음도 로맨틱한 사랑으로 이어가고 싶다.

20주년, 이날도 평소처럼 건강하게 도란도란 이야기 나누며 맛있는 밥한상 차리고. 노안이 심해져 멀어져 가는 핸드폰을 좀 더 가까이 볼 수 있도록 돋보기를 선물해 줘야겠다. 나이 듦이 슬프기보다 세월에 파도를 잘 타고 가보고 싶다. 단순한 단어지만. 가장 큰 힘을 발휘하는 '사랑'으로 삶은 더욱 풍요로워질수 있다고 믿는다.

샬롯 브론테 <제인 에어>

제인은 어린나이에 부모를 여의고
외숙모의 구박을 받으며 자란다.
엄격한 기독학교에서 열심히 공부해 교사가 된다.
이 시대 가정교사는 여성 지식인이 갖는 직업이었다.
사회적인 차별로 인한 한계점이 존재하는 시대였다.

대저택 주인 로체스터의 냉랭함 속에서도
그들은 서로를 사랑하게 된다.
나이 차이는 어떤 장애물도 되지 않는다.
로체스터 부인이 정신병에 시달려
대저택 방에 감금되어 있다는 비밀을 알게 된
제인 에어는 죄책감과 배신감에
저택을 뛰쳐나와 버린다.

시간이 흐르고. 다시 돌아온 제인에어.
화재로 인해 로체스터는 눈이 멀어버렸다.
하지만 제인의 지고지순한 사랑으로
시력도 찾게 되고. 그들은 함께 행복한 노후를
조용히 보내게 된다.

가장 소중한 것이 '사랑'임을 깨닫게
된 자신도 독자에게도 큰 깨달음을 준다.
모든 삶의 원동력은 '사랑'이다.

07. 동상이몽

오랜만에 꿈을 꾸었다. 꿈은 숙면을 방해한다는 말도 있지만. 간혹 재미있는 에피소드를 만들어 내기도 한다. 일어나자마자 꿈이 너무 생생해 입안에 군침이 돈다. 요즘 먹고 싶은 샤부샤부가 꿈에 나왔다(요즘 먹는 게 너무 좋아져서 그런지 꿈도 먹는거다). 그런데 이번엔 뭔가 조금 다르다. 귀찮아서 잘 싸 먹지 않는 라이스페이퍼가 등장한다. 두툼하게 썬 당근.양파.파프리카.파인애플. 몇 가지 채소를 라이스페이퍼에 가득 넣고, 큰 크기로 돌돌 만다. 쫄깃한 라이스페이퍼와 아삭한 채소들이 입안에 들어온다. 식감이 너무 생생하다. 입안에 침이 가득 고인다. 정말 주먹밥만 한 크기로 서너 번 쌈을 싸 먹고 나니 어느 정도 배에 느낌이 온다. "다음엔 라이스페이퍼를 사놓고. 수시로 만들어 먹어야겠어"라며. 옆에 앉아 있는 남편에게 말을 건다. 맛있는 식감이 너무 생생해서 눈을 뜬다. 오전 11시다.

밖은 돌풍과 거센 빗줄기에 귀신 소리처럼 윙윙거리고. 거실에는 텔레비전 소리가 들린다. 아들도 오늘은 학원 일정이 없다. 돌풍이 오히려 쉼을 예고해 주니 편안함 마저 든다. "배고파"라며 다가온 남편에게 "샤부샤부 먹는 거 꿈에 나왔는데"(입맛을 다신다) 남편이 깜짝 놀란다. "그래? 나도 샤부샤부 먹는 꿈 꿨는데?" "정말로? 당신은 샤부샤부 별로 안 좋아하잖아." 동상동몽이라 생각한 순간. 남편은 이렇게 말한다. "이번에 가게 되는 낚시에서 잡은 주꾸미 넣고 샤부샤부 해 먹는 꿈꿨는데" "아니야. 나는 채소를 라이스페이퍼에 싸서 소스 찍어 먹었는데" 스타일은 다르지만 같은 주제로 꿈을 꾼건 처음이다. 남편은 해물샤부샤부. 나는 월남쌈을 꿈꾼 거다. 부부라는 존재가 동상동몽으로 사는 듯하지만. 동상이몽의 삶이다.

그나저나 돌풍이 불어 라이스페이퍼 못 사러 간다. 라이스페이퍼를 물에 폭 담가. 수분감이 퐁퐁 터지는 채소를 돌돌 말아 입안에 넣고 '아~함!' 먹고 싶으면 조만간 먹어야 산다. "월남쌈 난 눈으로 먹는다. 당신은 알아서 먹어!" "내가 네 생일에 월남쌈 사준다. 기다려라." "아이고. 이틀 뒤도 아니고 두 달 이나? 그냥 내가 라이스페이퍼 사서 만들어 먹을 거야" "두 달이면 금방이지. 너도 알잖아." "몰라~~칫"
동상동몽 아니라도 좋다. 샤부샤부 주문하고 남편은

해물 샤부샤부 먹고. 나는 월남쌈 먹고. 같은 공간에
는 갈 수는 있다. '따로 또 같이' 단순한 말이지만 현
실로 받아들인다는 건 오랜 시간이 필요하다. 부부 관
계. 부모자식 관계. 모든 관계속에서 '동상이몽'은 존
재 할 수 밖에 없다. 이 사실을 알게 된 이후 마음은 자
유를 얻게 된다.

서머싯 몸
<달과 6펜스>

스트릭랜드는 순수한 그림만을
그리고 싶은 열정이 있고,
아내는 허영심으로 그림을 그리는
화가에게만 관심이 있다.

그림이라는 관심에서
'동상동몽'으로 여길 수는 있지만.
그 의미는 너무나 다르다.

'동상이몽' 스트릭랜드도 아내도 자신만의
꿈속에서 서로의 꿈을 존중해 주지 못했다.
'따로 또 같이' 갈 수 있다는 건
서로의 취향을 존중해 주는 것이다.

물론 부모와 자식 사이에도
동상이몽의 법칙은 존중받아야 한다.

나는 가족의 취향을 존중해 주고 있는가?

08. 난 조언이면 돼!

고1 2학기 중간고사가 코앞이다. 새벽 책상 앞에 앉아 있는 아들을 본다. 그 모습이 대견하기도 하지만 공부에 독한 엄마가 아니라서인지 짠한 마음이 더 크다.

중간 고사 몇달 전, 열심히 공부한 만큼 과학 성적이 잘 나오지 않고. 학원 다닌 친구들은 점수가 잘 나온다며 학원에 가야겠다고 했다. 스스로 필요해서 학원에 가겠다고 하는 말에 학부모(기쁨)와 부모(짠함)의 마음이 충돌한다.

어릴 때부터 학원보다는 책놀이와 경험을 위주로 키웠다. 다양한 경험을 하고. 책과 활동 위주의 영어학원을 선택했다. 연산 수업은 해주지 않았다. 창의력이나 생각보다는 기계적으로 계산하는 아이로 키우고 싶지 않았기 때문이다. 초등 고학년 수학을 배우기 시작하면서. "연산이 늦네요."라는 말을 듣기 시작했다. 연산 문제집을 사서 집에서 1장씩 풀기 시작했다. 아이는 수학에 재미를 붙이기 시작했다. 학교나 학원에서 "연산이 늦네요"라는 말을 들으면서도 아들에게 시간이 지나면 조금씩 연산의 속도가 빨라질 수 있을 거라고 힘을 주었다. '이래서 연산 연산했구나' 하지만 흔들리지 않으려고 했다. 고학년이 되어 학원을 보낸 이후에도 선생님들의 연산 타령은 끊이질 않았다. 너무 학원에 의존하는 것보다 아이의 단계에 맞춰서 키우고 싶었다.

학원에서는 상담 전 레벨 테스트를 하며 부모들을 조바심 나게 만든다. 아이 단계에 맞추고 선행보다 다지기 위주의 학원을 선택해 오곤 했다. 아이의 기질이 늦은 듯하지만. 늦게 시작해도 제대로 무언가 해내는 걸 보았기 때문에 아이에게 맞게 교육 스타일을 맞추려고 노력했다. 중학생이 되니 수학에 완전히 적응했다. 고등학교 입학하며 수학도 점수가 잘 나오는 학원을 알아보더니 바꾸겠다고 한다. 정말 성적이 올랐다. 늦은 듯하지만 스스로 자신의 공부 스타일을 연구해 볼 여유를 주니 자신의 단계에 맞게 설계하며 성장해 간다.

부모의 욕심보다 아이를 독립체로 보면 조금은 내려놓게 된다.(그렇다고 조바심 없이 키운 건 아니다) 마크 트웨인<톰 소여의 모험> 아들은 톰과 허클베리 핀 두 아이의 모습을 조금씩 닮았다. 아이들은 환경의 영향을 많이 받는다. 사춘기가 되고 모험심에 불이 붙는 아이들은 에너지가 많다. 그래서 어른들은 괴롭지만. 아이들은 좌충우돌 찐 경험을 해가며 성장해 간다. 아이들이 소풍을 떠나고 동굴 탐험을 떠나다 톰과 여자친구 베키가 길을 잃고 헤매게 되고. 결국 배를 얻어타고 집으로 돌아오지만, 그 즉시 어른들은 동굴 문을 폐쇄해 버린다. 문을 폐쇄했다는 건 아이들의 모험과 도전을 차단해 버린다는 의미도 있고. 환경으로 인해 극악무도하고 잔인해진 인전 조가 동굴 밖으로 빠져나올 수 없어 비참하게 생을 마감하게 된 원인도 된다. 부모로서 아들에게 위험한 요소들을 모두 제거해 버리고 싶다. 하지만 아이가 스스로 경험하며 장애물을 하나씩 뛰어넘을 수 있도록 어느 정도의 문을 열어줘야겠다고 매번 마음을 다잡는다.

아이에게 맞는 교육은 천천히 가야 지치지 않는다. 어릴 적부터 엄마표(엄마가 완벽한 계획을 세우고 주도식으로 하는 엄마표로 변질 되어버린 것이 슬프다.)로 만져보고. 실험해 보고. 실수도 해보며 아이 시선에 맞춘 교육을 실천해 보았지만. 교육은 4차 산업 혁명 앞에서도 과거 정형화된 틀에 갇힌 채로 머물러 있는 현실을 만날 땐 늘 답답함을 많이 느낀다.

초등학교 입학 후 2학년이 되면서 교과서가 바뀌었다. 융합.통합 테마로 봄·여름·가을·겨울 주제로 교과서가 나온 걸 보고 참 놀라웠던 기억이 난다. 지금은 문과·이과가 통합되었다고 한다. 하지만 대학은 문과 계열. 이과 계열도 아직 나뉘어있다. 교육제도는 융합이라 하지만 현실은 이분법으로 나뉘어 있다.

요즘은 밤만 되면. 남편과 함께 주식 숙제하는 미션 덕분에 서로 대화가 많아졌다. "엄마! 비트코인에 투자해 봐. 네이버 여기 제일 폭락할 때 샀어야지" 이게 무슨 말일까? 자신의 적금을 깨고 주식계좌 만들어 투자해 보자는 말에 스스로 주식 시세와 집 주위 부동산 시세까지 알아보고 있었던 아들. 이래서 부모는 놀란다. 아이가 순간 너무 커버렸다고 생각하고 흐뭇하기도 하지만. 이 세상을 벌써 준비하고 있다는 생각에 애잔한 마음이 들기도 하다.

과학 학원에 다닌 후. "엄마! 나 과학 잘하는 거 알았어. 원소 기호를 20분 만에 다 외워 버린 거 있지?" 키만 불쑥 큰 아들이 마냥 어린아이 같다. "대단하네.

엄마는 과학·수학이 제일 어렵던데. 우리 아들이 마음만 먹으면 잘하지? 그래서 기분 좋았어?" "어. 선생님이 과학·수학을 잘하면 대학 갈 때 좋고. 직장 갈 때는 영어·국어를 잘해야 한대. 그래서 나는 수학보다는 과학을 파보려고." 그러더니 "나 펀드 매니저 해볼까?" 이 녀석 마음속에서 지진이 일어나는 중이다. 그러더니 "나 군대 갔을 때 북한 김** 미사일 쏘고 전쟁 일으키면 어쩌지?" 미래에 대한 걱정이 뒤죽박죽되어 버린 아들이다.

"엄마는 명문대(명문대 기준은 무엇이며. 누가 세운 기준일까?)를 원하는 게 아니라. 관심 있고 잘할 수 있는 과를 선택하라는 거지. 그리고 가고 싶은 과가 있는 학교를 선택해서 학교에 맞는 준비를 하면 되는 거지. 단. 열심히 해야 선택폭이 더 늘어난다는 거지"
"그러면 수학. 과학 열심히 해서 대학에 간 다음. 대학에서 영어. 국어 공부하고 취업하면 되는 거니까. 너무 미리 걱정하지 마. 알았지? 아들?"
"전쟁은 일어나지 않을 거야. 일어나도 총 들고 싸우는 시대는 아니야. 미리 걱정하지 마. 아들"
"아. 맞다 **형(사촌 형)이 먼저 군대 갔다 오겠네? 그때 조언해 주겠지."

"막내 삼촌이 군대에 계시잖아"

"그때쯤이면 군대 나오시지. 그리고 나는 그런 거 필요 없어. 나는 조언이면 돼"

이 말을 듣는 순간. 머리가 빙그르르 돈다. 아들에게 또 배우는구나 싶다.

"아들~~멋진데? 너도 아빠. 엄마 닮았구나. 남한테 신세 지려하지 않는거. 그래 맞아. 형이 먼저 다녀와서 조언해 줄 거야. 미리 걱정하지 말고. 하나씩 해보는 거야. 엄마가 요즘 느낀 건데. 어떤 일은 너무 걱정하지 않아서 낭패를 보기도 하지만. 걱정해도 쉽게 해결되는 것들도 있더라고."

"그리고 입대는 좀 미룰 수도 있고" "아니(단호한 목소리). 나는 오라고 할 때 바로 들어갈 거야"

이런저런 말을 하며 잠든 시간이 새벽 2시가 넘어간다. 나도 덩달아 심란해진다. 어느 때는 무척 씩씩하다 여기는 아들이지만. 이렇게 속내를 한 번씩 털어놓을 때가 있다. 세상에 나갈 준비로 마음이 혼란스럽다는걸 알게 된다. 한편으로 씩씩하게 살아갈 거라 생각하지만. 한편으로는 험난한 세상을 잘 극복하며 살 수 있을까 걱정도 된다. 자식에 대한 걱정은 끝이 없다.

아들이 보기에는 세상이 어수선하고 복잡할 것이다. 40대가 넘은 나도 그렇다. 외동이라 의지할 형제가 없다는 것에 안쓰러운 마음이 들기도 하지만. 결국 인생은 '혼자' 사는 거다. 그걸 아들에게 가끔 얘기해준다. 앞으로의 삶이 희망적이라는 것을 말해주긴 하지만. 내 마음속에서는 자꾸 마찰이 일어난다. '정말 희망적일까?' 나 스스로가 단단하면 그 흔들림도 금세 멈추겠지? 오랜만에 아들의 마음을 알 수 있는 시간이었다.

오늘 아침 식사하는 남편에게 아들의 마음을 전했다. 전쟁 이야기에 팡 터지더니 "쓸데없는 생각 하고 있네"라고 한다. "그렇게 말하지 말고. 당신이 토닥토닥 얘기 좀 해줘! 알았지?" 오늘 퇴근해서는 아들에게 멋진 조언을 해줄 모습을 상상해 본다. "엄마. 나는 그런 거 필요 없어. 조언이면 돼!" 이 말이 참 대견하면서도 아릿하다. 그렇다. 정말 조언이면 될 수도 있다. 남편에게도 조언을 해줄 수 있는 부모님이 살아 계신다면. 많은 힘을 얻을 수 있지 않을까 싶다. 남편과 아들에겐 잔소리보다 '조언'이면 된다는 걸 아들로 인해 깨닫는다.

마크 트웨인
<톰 소여의 모험>

부모 없이 이모네 집에서 자라게 된 톰은
모험심이 강한 소년이다.
친구인 허클베리 핀은 통나무가 집인
자유로운 영혼을 소유한 친구.
그들은 모범생과 거리가 멀지만.
호기심으로 공동묘지에서
살인 장면을 목격하기도 하고.
배를 타고 멀리 여행을 가기도 한다.

톰과 배키가 소풍가는날
친구들과 동굴속에 탐험을 하다 길을 잃게 된다.
결국 집으로 찾아오긴 했지만.
어른들은 동굴 입구의 문을 폐쇄해버린다.

작가 마크 트웨인은 톰과 허클베리 핀을 통해
어린아이들 시선에서
어른들의 세상을 관찰한다.
아이들은 동굴에 다시 들어갈수 없다.

나는 우리 아이들에게
어떤 모험심을 길러주고 있는가?
아니면 차단하고 있는가?

09. 갈대는 부러지지 않아!

◇◇◇◇◇◇◇◇◇◇◇◇◇◇◇◇◇◇◇◇◇◇◇◇◇◇◇◇◇◇◇◇◇◇◇◇◇◇◇

「빼앗으려고 하면 반드시 잠시 줘야만 하니.이것을 '미명微明(보이지 않는 총명 혹은 은미한 밝음)'이라고 한다. 부드럽고 약한 것이 굳세고 강한 것을 이긴다.」- 노자 <도덕경> 도경-36장.오므라들게 하려면

무위자연. 최상의 도는 가장 아래로 흐른다는 강물을 도(道)에 빗대어 논하는 노자의 <도덕경>은 한번 읽고 이해할 수 없을 때가 많다. 여러 번 읽다 보면 그때야 그 의미가 마음속에 들어온다. 필사를 마친 후. 의미는 뇌 속에 저장되어 야금야금 호기심을 유발하는 소스가 되곤 한다. 주말이라 남편과 같이 앉아 있던 날, 필사한 노트를 가져와 큰 소리로 여러 번 읽어주며(함께 이야기 나누고 싶거나 도대체 이해가 안 될 때는 이렇게 남편 찬스를 쓰곤 한다) 물어본다. "빼앗으려고 하면 반드시 잠시 줘야만 한데.이게 무슨 뜻일 것 같아?" 남편은 고개를 갸우뚱한다. 무엇이든 빼앗을 생각보다 베푸는 걸 먼저 해야 한다는 의미로 해석해 봤다. 해석 부분을 보고 현타가 온다. '권모술수'

*권모술수(權謀術數)
[명사] 목적 달성을 위하여 수단과 방법을 가리지
아니하는 온갖 모략이나 술책.
[유의어] 계략, 권모술책, 모략

춘추전국시대 여러 나라가 등장한다. 월나라 왕이 오
나라 신하로 들어와서 제나라를 토벌하도록 권했는
데. 이는 오나라를 피폐 시키고자 한 것이었다. 결국
오나라는 제나라를 토벌하고 영토를 더욱 확장했다.
결국 월나라는 오나라를 제압했다. 오나라에게 제나
라를 먼저 주고. 전부 다 뺏어오는 권모술수에 응용될
수도 있다는 이야기다.

보통 노자를 생각하면 아무런 조작 없는 흘러가는 대
로 무위자연을 추구하고. 자연을 사랑하기에 숲속에
만 들어가 살았을 것 같다. 하지만 노자는 직접 정치
에 참여하지 않았을 뿐 도(道)를 통해서 사람들에게
바른길을 안내 한다. 노자의 권모술수에 대한 글을 보
면서. 춘추전국시대의 난잡함을 평정하고 싶은 마음
이 강했다는 걸 알 수 있다.

"부드럽고 약한 것이 굳세고 강한 것을 이긴다. 당
신은 이게 무슨 뜻인 것 같아?"라는 물음에 "갈대

가 약해 보여도 강하잖아" 남편(반쪽님)이 선문답한다. "그게 무슨 말이야? 엄마가 '여자는 갈대'라는 말을 싫어하는 이유가 뭔데? 절대 여자는 갈대처럼 흔들리는 존재가 아니라고" "몰라도 한참 모르네. 갈대는 계속 여기저기 흔들리긴 하지만. 절대로 줄기가 부러지거나 끊어지지 않아" "그러네. 그걸 왜 이제야 얘기해주는 거야? 진작 알았더라면 엄마한테 얘기해 드렸을 텐데." 남편이 어이없다는 듯이 웃는다. 남편은 인생의 선배로서 매번 깨달음을 준다.

결국 사람도 그렇다 겉으로 유하고 부드럽게 보여도 조용히 사람을 이끄는 사람이 있다. 나는 유연하게 이끌어 가는 사람인가? 아니면 쉼 없이 부러지는 사람인가? 너무 강직해서 부러지고. 너무 약해서 부러지는 사람이 아닌 갈대처럼 흔들리듯 해도 유연함을 갖고, 자신의 중심은 단단히 잡을 수 있는 사람이 되기 위해 노력중이다.

노자 <도덕경>

무위자연. 물아일체.
노자는 정치판에서 아웃사이더였다.
그 답답함을 회피하기 위해 도덕경이라는
가르침을 두고 산으로 향했을까?

그의 철학은 속세를 떠나
자연속에서 여유로운 삶을 즐기는
신선놀음이 아니다.
현대 사회와 다르지 않은
혼란스러운 춘추전국시대 속에서
권력자. 백성. 나 자신이 어떻게 살아남을지
지혜를 주는 생활 지침서다.

가장 아래로 흐른다는 강물은
겸손하고 유연하게 살라는 지혜를 준다.
무위자연은 자연의 섭리대로
있는 그대로 인정하라는 지혜를 준다.

나 자신은 있는 그대로 인정하고
유연하게 살아가고 있는가?

「배를 남서쪽으로 돌려야겠군.
사람은 바다에선 길을 잃는 일이 없지.
게다가 이곳은 길쭉한 섬이니까 말이야.」

어니스트 헤밍웨이
<노인과 바다>

PART 3. 영화
IN 고전

01. 흐르는 강물처럼

미국 몬태나주 자연 속에 사는 목사 리버런드 맥클레인 가족이 등장한다. 목사는 강가의 교회에 살면서 낚시를 종교처럼 소중히 여기며 아들 노만과 폴을 데리고 다니며 낚시를 즐긴다. 자연스럽게 형제는 낚시를 좋아하고 기술을 터득하게 된다. 아버지를 닮은 신중하고 지적인 노만은 자유로운 영혼을 지닌 동생 폴과 삶의 길이 다르게 성장한다. 형제는 우애가 깊지만. 낚시할 때도 삶에서도 경쟁의식을 느낀다.

다트머스 명문대를 졸업해 시카고 대학 교수직을 제안받은 노만은 동생 폴의 불안한 삶을 지켜보며 같이 시카고로 떠나자고 제안한다. 형의 도움을 거절하며 자신의 삶을 살려던 폴은 결국 길에서 폭행당해 죽고 만다. 죽음 이후 으스러진 오른손 뼈를 보여준다. '좋은 낚시꾼'이 되겠다는 소박한 꿈이 무너짐을 암시하는 듯했다. 꿈이 좌절되는 것은 죽음이었을까? 허망하게 죽어버린 폴을 보며 가족은 슬픔에 빠지게 된다. 그가 형의 도움을 받아들였다면 과연 안정된 삶을 살았을까? 형의 도움이 없었다 해도 낚시꾼이 되어 행

102

복하게 살 수도 있었을 것이다.

강물은 잔잔하게 흐른듯 하지만 바위와 거친 폭포에 부딪혀 흘러간다. 폴은 흐르는 강물처럼 위험에 부딪히거나 도전하며 자신의 방식대로 자유롭게 살고 싶었을 것이다. 엘리트로 평온한 삶을 산 형 노만과 자유로움과 불평등에 저항한 동생 폴의 모습을 보며 루이제 린저 <삶의 한가운데> 평탄한 삶을 사는 마리그래트 언니와 도전하는 거친 삶을 사는 동생 니나의 모습이 오버랩된다. 1919년 1차 세계대전 시기지만. 관객에게 평화로운 자연 풍경을 선물한다. 잔잔하게 흐르는 강물처럼 평온한 듯 하지만 언제 터질지 모르는 불안감도 엿볼 수 있다.

노만이 아버지의 말씀대로 가족에 대한 소설을 쓴 것이 영화가 된다. 영화는 "가족에 대해 글을 쓰다 보면 이해할 수 있을 거다"라는 아버지의 말씀이 담긴 장면으로 시작된다. 노만은 폴을 이해할 수 없었다. 자신의 도움도 받지 않고 자유분방하게만 사는 폴의 모습이 삶을 엉망으로 내던지며 사는 것처럼 보였다. 하지만. 폴에겐 형의 삶이 이해할 수 없었을 것이다.

'글을 쓴다는 건' 과거를 끄집어낸 후 재구성하는 과정이다. 과거의 기억에 긍정적인 의미를 부여하게 되고. 이해되지 않는 의미들이 이해되기도 하며. 아픔이 치유되기도 한다.

결국 <흐르는 강물처럼> 살기를 원하는 폴의 삶을 이해하게 되고. 이해는 결국 모든 삶의 진리인 '사랑'으로 종결된다. 사랑은 흐르는 강물처럼 모든 이를 치유해 준다. 어니스트 헤밍웨이 <노인과 바다> 거친 바다에서도 노어부 산티아고는 상처투성이가 된 몸을 바다에 적시며 치유한다. 흐르는 강물처럼 자연의 순리대로 서로 다른 존재를 그 자체로 인정한다는 깨달음을 얻게 된다. 서로를 이해할 수 있다는 건 결국 '사랑'이 전제되어 있기에 그 의미는 더욱 깊다.

폴의 꿈은 <흐르는 강물처럼> 살고 싶었다. 폴의 마지막이 허무하게 끝나버렸지만 자신만의 방식대로 살다 자연의 순리대로 죽음을 맞이했다고 이해하니 조금은 위안이 된다.

어니스트 헤밍웨이
<노인과 바다>

84일째 물고기 한 마리 잡지 못한다.
노어부 산티아고는 어부를 포기할 수도 있었다.
하지만 그는 험난한 바다를 향해 나간다.
힘은 약해졌지만. 눈빛은 아직 살아 있고.
낚시꾼에게 가장 중요한 오른손도 멀쩡하다.
두 손. 두 발과 배도 있다.

우리가 보기엔 거친 바다를 혼자
나간다는 것 자체가 두려움으로 보인다.

그에게 바다는 어떤 존재일까?
산티아고는 바다를 여성화한다.
간혹 죽음을 가져올 위험한 존재이기도 하지만
'어머니' 같은 존재라고 한다.
강물이 흘러 바다로 흘러가고.
바다는 어머니 같은 치유와 사랑의 존재다.

폴도 자유로운 삶을 닮은 강물과 함께
살고 싶었을 것이다.

02. 인생 후르츠

먹거리를 준비하며 습관처럼 라디오를 켠다. 주말은 평일과 달리 마음에 여유를 돌보는 편이다. 라디오도 평일은 시사. 경제 뉴스를 들려주지만. 주말은 마음의 여유를 찾아주는 문화. 예술 이야기를 들려준다. 소개해준 영화는 후시하라 켄시 <인생 후르츠> 영화를 다시 찾아보며 자연속에서 마음의 여유를 찾는다.

후시하라 켄시 <인생 후르츠>

90세 건축가 할아버지 '츠바타 슈이치'와 87세 못 하는 게 없는 슈퍼 할머니 '츠바타 히데코'가 나오는 이야기다. 50년 이상 함께 살아오며 전원 속에서 과일과 채소를 키우며 자연과 함께 살아가는 모습을 생생하게 담았다. 백발이 성성하고 등이 굽어오지만 할아버지는 죽음을 생각해 보지 않았다 하고. 할머니는 가끔 마지막에 대해서 생각해 본다고 한다. 할아버지는 마지막은 생각해 본 들 무슨 의미가 있겠냐고 한다. 자연의 섭리대로 살다 생명도 자연스럽게 사라진다는 걸 받아들인다.

「바람이 불면
낙엽이 떨어지고
낙엽이 떨어지면
땅이 비옥해지고.
땅이 비옥해지면.
열매가 여문다.
차근차근 천천히
맛이 들어가는 인생 이야기
인생의 후르츠」

영화가 시작되며 흐르는 자막에 자연의 순리대로 살아가며 맛있게 익어가는 삶의 완성이 느껴진다. 돌아가신 할아버지의 빈자리를 받아들이며. 삶을 살아가는 할머니의 모습을 보며 욕심·경쟁 모두 내려놓고 자연과 함께 삶을 완성해 가는 과정에서 따뜻한 감동이 온다. 헨리 데이비드 소로 <월든> 소로는 콩코드 호수에 통나무집를 짓고 2년을 살며 자연 속에서 지혜와 깨달음을 얻는다. 자연에서는 암담한 우울함이 존재할 여지가 없다고 한다. '소박하고 용기 있는 사람은 속된 슬픔으로 몰아넣을 권리를 가진 것은 아무것도 없다'라고 말한다. 자연속에서 순리대로 사는 모습은 소박하지만 용기 있는 삶이다. 나 자신을 진정으로 사랑하면 용기 있게 내가 원하는 것을 할 수 있는 정신적 자유를 얻을 수 있다고 믿는다. 자연의 섭

리를 받아들이고. 흘러가는 대로 나에게 주어진 운명
을 열정적으로 살다 보면 마지막엔 다양한 맛의 인생
후르츠를 맛볼 수 있을 것이다.

헨리 데이비드 소로
<월든>

마흔다섯 결핵으로 생을 마감한 월든은
이십 대 후반 2년동안
월든 호숫가에서 통나무로 손수 집을 짓고
노동을 통해 농사를 짓고 낚시를 하며
자연속에서 자급자족하며 소박하게 산다.

그의 삶이 짧았지만.
소박하게 살며
자연의 섭리에 순응하여 사는 철학을 가진
월든은 콩코드 호수의 잔잔함을 닮았다.

잠시 자연으로 들어가 아무 생각 없이
소박하게 살아보는 경험은
의식적으로 만들어 보고 싶다.

하루에 30분이라도 산책하며
하늘과 자연과 새소리를 듣고
살아갈 수 있는 마음의 여유는 중요하다.

오늘 동네 숲이나 공원으로
자연과 산책을 해보는 건 어떨까?

03. 승리호와 맹자 성선설

고전 전문가가 나오는 라디오 코너, 영화<승리호>를
본 후. 「맹자 성선설」과 연결한다. 궁금증이 인다.

성선설[性善說]
맹자(孟子)가 주장한 중국철학의 전통적 주제인 성
론(性論). 사람의 본성은 선(善)이라는 학설이다. 인
간의 본질로서의 인성(人性)에 대하여 사회적·도덕
적인 품성이나 의학적·생리학적인 성향을 선악(善
惡)·지우(知愚)라는 추상적인 기준에 따라 형이상학
적으로 해석하는 특징이 있다.
<출처 : 네이버 백과>

<승리호>를 보면 지구 위기. 양극화. 환경에 대한 반
성과 지구를 더 사랑해야겠다는 교훈을 얻게된다.인
간의 성품은 본래부터 선하다는 맹자의 성선설이   <
승리호>와 어떤 연관성이 있다는 걸까?

2092년 인공적인 느낌이 다분한 화성을 도시화하는
인물은 150살이 넘는 냉동인간이다. 인간의 냄새가

풍기지 않는다. 첫 등장부터 악역일 거라 짐작하게 한다. ('돈룩업(Don't Look Up)'이라는 영화에서도 혜성이 지구에 부딪혀 멸망하지만, 돈 있는 사람들은 냉동인간으로 다시 태어나는 장면이 연출된다) 냉동인간은 인간의 삶에 대한 무한한 욕망이 만들어낸 허상은 아닐까?

그는 2차 세계대전 때 독일 나치로 인해 부모님이 잔인하게 죽임을 당한 모습을 목격한 이후. 악마로 변한 듯 하다. '분노'라는 벌레가 마음을 파먹어 인간이기보다는 악마에 더 가까운 괴물이 되어버린 거다. 그는 몸속에 내재 되어있던 악마가 튀어나오자 행동으로 표출한다. 살인을 저지르며 악마의 얼굴을 보여준다. 분노라는 건 자신과 타인을 파멸시킨다.

대부분 고전에서는 분노를 조절하는 중요성을 강조한다. 단테 <신곡-지옥 편> 다섯 번째 고리에는 '분노를 이기지 못한 영혼'들이 서로를 물어뜯고 난투를 벌이며 음울하고 한숨이 끊이질 않는다. 분노는 인간의 자연스러운 감정이다. 하지만 분노를 조절하지 못하는 것은 죄가 된다. 사람들은 분노하는 포인트와 표출 방법이 다르다. 어디서 분노가 올라오는지 자신의 마음을 들여다보고 인지한 후에야 비로소 분노를 조절 할 수 있다.

정의로운 척(?)하는 기자를 죽이기 전 기자에게 자신의 생명을 위해 남을 죽이는 행위를 조종하고. 기자 스스로 악마가 되었다는 정신적 고통에 시달리게 한다. 자신과 같은 악마라는 정당성으로 인해 방아쇠를 당겨 기자를 살해한다. 아무리 선한 척. 정의로운 척 해도 생명 앞에서는 비열하고 잔인해질 수밖에 없는 본성을 공감하게 만드는 순간. 그는 희열을 얻었을 것이다. 이 장면을 통해 자신의 생명을 위해 남을 죽이는 악한 행위는 어찌 보면 선한 본성이 환경에 따라 악하게 바뀔 수 있다는 <맹자의 성선설>을 그대로 보여준다. 여기서 인간의 본성이 악하게 태어난다는 <순자의 성악설>도 생각해보게 된다. 인간의 본성은 선하게만 또는 악하게만 태어날 수 있을까?

헤르만 헤세<데미안> 데미안은 인간의 마음속에는 선과 악이 함께 존재 할 수 있다고 말한다. 어떤 일로 인해 내부에서 악한 본성이 꿈틀거릴 땐 인간은 '양심'이 있기에 죄책감부터 들게 된다. 악한 마음과 선한 마음이 함께 공존하는 순간이다. 인간의 본성에 따르는 삶을 살다 보면 선한 행동만 할 수 없다. 인위적이 아닌 본성에 따라 살아야 행복하다. 하지만 이에 따라 드는 죄책감과 고뇌에 빠지기도 한다. 인간은 이성과 감성이 있기에 흔들리고 고뇌하며 사는 존재인 듯하다.

그도 부모의 죽음으로 인해 선한 마음보다 분노를 표출하는 악한 마음이 더 강하게 작용했을 것이다. 그가 원하는 건 무엇이었을까? 선한 척(?)하는 인간들이 사는 지구를 제거하고 싶은 마음과 지구의 환경을 인간 스스로가 황폐화시켜 버린 죄책감을 주고 싶었던 건 아닐까? '너희도 나와 같은 악마야'라고 속삭이듯이 말이다.

<승리호>에 생명의 에너지를 가진 '꽃님이'는 인공적인 화성 도시에 푸르고, 싱싱한 방울토마토를 열리게 한다. 화성인들은 생명의 신선함을 느낀다. 극빈한 환경에 '돈'만을 위해 살지만. 꽃님이로 인해 그들의 마음에 선한 마음이 일어나기 시작한다. 환경으로 인해 선-악-선-악이 꿈틀거린다. 선한 마음이 악한 마음을 토닥이며 잠재울 수 있도록 수련이 함께 할 수 있다면 우리의 본성은 성선설로 바뀔 수 있을 것이다.

단테 알리기에리
<신곡-지옥 편>

지옥은 죄의 종류에 따라
아홉 개의 고리로 공간이 나뉘어
아래로 내려간다.
(바벨탑을 뒤집어 놓은 모습)

단테는 로마 위대한 시인 베르길리우스를
길잡이 삼아 지옥-연옥-천국을
여행해 볼 기회를 얻게 된다.

첫 번째 지옥의 강을 건너 다섯 번째 고리는
'분노를 이기지 못한' 이들이 서로 물어뜯고.
죽이며 아우성치는 지옥이다.

탐욕·시기·음란보다 더 무서운 분노를
어떻게 조절해야 해야 할까?

04. 나이 들어도 두렵다

성탄절 새벽이 밝았다. 특선영화 <나 홀로 집에>를
방영해 준다. 부모님이 아이들이 너무 많아 케빈을 집
에 두고 여행을 떠나버린 어이없는 설정으로 영화가
시작된다. 어린 케빈 혼자 남겨졌을 때 무서워 할 것
이라 생각했지만. 오히려 자유로움을 만끽하며 씩씩
하게 보내며 마트에 장도 보러간다. 평소에 손가락 까
닥도 하지 않던 아이를 이렇게 혼자 두니 스스로 해결
해 간다. 어리숙하게 보이는 두 명의 도둑 아저씨들이
케빈이 집에 혼자 있는 걸 눈치채고 기회를 보며 침입
하려 한다. 케빈은 기발한 아이디어로 작전을 짜서 도
둑들을 완전히 녹다운 시켜버린다.

성탄절 2부 가족들과 선물을 나눠야 한다는 생각에
케빈은 선물 가게에서 가족을 위한 선물도 주문한다.
성당에 들렀다 평소 무섭게만 느꼈던 옆집 할아버지
와 얘기를 나누게 된다. 아들과 싸운 후, 연락을 끊고
살지만, 아들도 손녀도 너무 그립다. 하지만 거절 당
할까 두려워 먼저 손을 내밀지 못하는 할아버지 얘기
를 듣고 케빈은 "할아버지 나이에도 두려워하는 게

있어요?"라고 물어본다. 그리고 먼저 아들에게 전화해 보기를 권유한다. 만일 거절한다 해도 무섭기만 하던 아버지의 이미지는 벗을 수 있지 않겠냐고 한다. 캐빈의 어른스러움에 미소가 지어진다. 정말 그렇다. 나도 지금도 두려운 게 많다. 아마 할머니가 돼서도 두려움은 있을 것이다. 무서운 것이 아닌 두려운 것 말이다.

마지막 장면이다. 눈이 선물처럼 쏟아지는 화이트 크리스마스날 아침 가족들이 여행을 접고 케빈이 걱정돼 돌아오게 되고, 평소 투덜거리고 괴롭히던 형도 동생이 걱정됐는지 전보다 친절하다. 모두 함께 선물을 나누며 기뻐한다. 창밖에 보이는 옆집 할아버지는 자식 내외, 손녀와 따뜻한 포옹을 한다. 할아버지가 케빈을 바라보며 미소짓고 손 인사를 한다. 집에 도둑이 들었다는 말도 하지 않는 속이 깊어진 케빈. 부모와 누나, 형들의 사랑을 더 느낀다. 혼자서 무엇을 했냐고 물으니 케빈이 멋지게 한마디 한다. "I just play"

성탄절에 자주 방영해 주던 〈나 홀로 집에〉를 아이들 영화라 생각하며 그냥 흘려보았었는데, 관심을 가지고 보니 그 의미가 깊다. 고전을 책으로만 볼 수 있다는 것도 나에게 선입견이었나보다. 특별한 날 반복적으로 보여주는 고전 영화·드라마를 보며 고전도서와 함께 그 의미를 생각해 보면 훨씬 감동이 배가 될 듯하다.

나이가 들어서도 두려워하는 게 있을 수 있다는 것과 두려움은 극복할 수 있다는 메시지를 담고 있다. 아이들은 부모가 생각하는 것보다 강하다는 것도 깨닫게 된다. 두려움은 인간의 본능이다. 나이 들었다고 두려움이 없어지는 것이 아닌 사람에 따라 두려움을 극복하는 방법만 다를 뿐이다. 삶에 두려움이 몰려온다면. 내면을 들여다보고 원인을 알아내 조금씩 두려움을 극복하는 수련의 과정이 필요하다.

프란츠 카프카
<법 앞에서>

법(法)이라는 문 앞에 시골 사람이 하나 와서
지키고 있는 문지기에게 들어가게 해달라고 청한다.
문지기는 '지금은 들어갈 수 없다' 라고 한다.

하지만 문지기는 의미심장하게 말한다.
금기를 깨고 들어갈 수 있다면 들어가 보라고 한다.
앞으로 세 개의 문을 지날 때마다
문지기의 힘은 더욱 막강해질 거라고 한다.

시골 사람은 첫 번째 문지기조차도
거부할 수 없는 두려움에 그냥 기다리기로 한다.
한 해 두 해 문을 들어가는 이들은 없고.
아부해도 문은 열리지 않는다.

결국 나이 들어 죽게 될 즈음 문지기는
'이 입구는 오직 당신만을 위한 것'이었다고
말하며 영원히 문을 닫고 들어가 버린다.

이 소설을 여러번 읽다 충격에 빠졌다.
사람에게 두려움이라는 장애물은
'법'이라고 새겨진 문이다.

자신이 지금 가장 두려워하는 문은 무엇인가?

「인간은 왜 고통을 통해서만
지혜에 도달할 수 있는 거야?
전혀 원하지 않는데도
왜 현명해져야 하는 거야?」

루이제 린저
<삶의 한가운데>

PART 4. 인생
IN 고전

01. 인생이 해피엔딩이라면

요즘 영화.드라마에서 남.녀 주인공이 결혼하는 엔딩이 아닌 자신의 성장을 위해 유학을 가거나 삶의 가치에 중심을 두는 결말이 많다. 사랑이라는 건 고통스러운 이별도 맞이할 수 있는 성숙함이 필요하다. 시간이 흘러 멋지게 변신한 주인공들이 재회하며 결말이 나기도 한다. 결혼이 이루어지는 것만이 해피엔딩이 아니다(하지만 나에겐 결혼이 해피엔딩). 결혼이 이루어지지 않으면 사랑에 대한 허무함에 맥이 빠질수도 있지만. 해피엔딩의 빛깔이 달라진 또 다른 해피엔딩이 될 수도 있다. 개편 시즌이 되면 모든 드라마가 서둘러 결말을 맺는다. 그래서 허무맹랑한 결말도 종종 있다. 조금은 식상하지만. 각박한 세상에 드라마 결말까지 복잡할 필요는 없다는 생각에 고전적인 해피엔딩을 만끽하기도 한다.

루이제 린저 <삶의 한가운데> 주인공 '니나'는 작가다. 저자 '루이제 린저'를 그대로 투영한다. 글쓰기에 대한 고뇌와 작가의 삶을 책 속 구석구석에 소스로 넣어두었다. 니나의 말이다. "독자는 재미를 요구하고 있어. 작가는 좇아가기 위한 편안한 이야기를 제공해야 하는 거야. 처음에는 이것이 일어나고 다음에는 그것. 그러고는 또 저것. 그리고 행복이든 불행이든 결말이 나야 해…. 모든 것이 깨끗하게 결말이 나야 해. 하지만 정작 인생에는 한 가지 계산서도 없고 아무런 결말도 없는데 말이야. 결혼도 결말이 아니고. 죽음도 겉보기만 그렇지 결말이 아니고. 생은 계속 흘러가는 거야."

삶의 결말은 죽음이 아닌 계속 흘러간다는 것. 결국 인생은 엔딩이 없다는 것. 이것이 해피엔딩인가? 시간속에 갇힌 드라마.영화.책에서는 결말을 기대한다. 독자의 입장에서는 해피엔딩으로 결말이 나길 바란다. 아직 삶의 고통을 많이 겪어 보지 못한 독자들은 드라마가 실제 삶이라는 착각에 빠지기도 하기에 결말의 방향이 중요하다. 삶의 과정은 개인마다 다르다. 결국 삶은 태어나 죽는 과정일 테지만. 루이제 린저는 죽음도 결과가 아니라고 한다.

작가는 과거에도 현재도 글의 결말을 고뇌한다. 과거에 비해 요즘은 더 자극적인 스토리를 위해 치열하다. 빨간색이 주를 이루는 잔혹한 영상. 생명이 너무 가볍게 취급되는 상황. 모방 범죄를 조장하기도 한다. 자연을 주제로 한 채널에 자꾸 시선이 간다. 스토리의 결말을 어떻게 써야할까? 내 삶을 담은 에세이는 계속 흐르고 있기에 결말이 없다. 내 삶의 엔딩은 현재를 만들어 가는 과정에서 비롯된 인생의 결말일 것이다.

02. 노예의 사슬

~~~~~~

'하나의 정열에서 풀려나와 다른 더 고상한 정열의
지배를 받는 것. 그러나 이 역시 예속의 한 형태가 아
닌가?'

'우리의 지향이 고상할수록 우리가 묶이는 노예의 사
슬이 더 길어지는 것뿐일지도 모른다. 그래서 우리는
훨씬 넓은 경기장에서 찧고 까불다가 그 사슬의 한계
에 이르지 않은 채 죽을 수도 있을 것이다. 이것이 소
위 말하는 자유일까?'

니코스 카잔차키스 <그리스인 조르바>
이윤기 옮김, 민음사

자유를 갈망하는 니코스 카잔차키스의 삶이 투영된
알렉시스 조르바. 본능에 충실한 삶. 머리. 가슴. 발.
거친 손. 거친 말로 현재를 살아가는 그는 자유를 닮
은 인물이다. 그는 도자기를 빚다 자꾸 방해를 하는
왼손 집게손가락을 도끼로 내려친다. 고상한 열정(도
자기 빚기)에 몰입된 삶은 예속된 삶(거추장스러운
손가락)을 제거하며 또 다른 예속(불편함)에 갇히게
된다. 자유를 갈망하다 갇히게 되는 또 다른 예속된

삶. 노예의 사슬이 무한하다면 인간은 사슬의 끝까지 닿지 않을 정도로 자신이 몰입하고자 하는 것에 평생 빠져 살 수 있다.

내가 온 마음을 다해 열정을 품을 수 있는 일을 한다는 건 어찌 보면 다른 일을 희생하는 노예의 사슬에 얽매여 사는 모습일지도 모른다. 하지만. 시공간이 무한하다면 열정을 무한대로 쏟을 수 있는 삶을 살 수 있다. 또한 몰입된 삶이 이어진다면 장애물도 무한대로 늘어날수도 있다. 결국 삶에서 수많은 장애물을 극복해야 원하는 자유로운 삶을 살 수 있다.

지금 내가 열정을 갖고 몰입하는 것이 많을수록 나를 예속하는 사슬이 더욱 늘어날 것이다. 단, 내 생이 다하는 날 노예의 사슬은 유한성으로 바뀔 것이다.

니코스 카잔차키스
<그리스인 조르바>

자유로운 영혼의 소유자
그리스인 알렉시스 조르바.
그는 지금, 이 순간 몰입하며 사는
열정적인 인물이다.

자신이 몰입하는 것에 장애물에 생긴다면
가차없이 제거해버리며 다시 집중하는 조르바
하지만 갈망으로 인한 노예의 사슬은 끝이 없다.

조르바의 삶은 불꽃처럼 활활 타오르다
마지막 불꽃이 사그라들면
자연의 순리대로 멋지게 사그라든다.

하지만 죽음도 그의 자유로운 무한성을
침범하지 못할 것이다.

내가 지금 무엇인가를 갈망한다면
온 마음을 다해 예속된 노예의 사슬에
기꺼이 매여보는 건 어떨까?

03. 내 안의 벽

수원 '나혜석 거리'를 걷다 보면. 한국 최초 여성 서양
화가 나혜석(1896~1948) 조각상이 다소곳이 앉아
있다. 벤치 옆에 함께 앉아 생각에 잠길 수 있다. 뒷편
틈이 갈라진 벽이 세워져있다. 여성으로서 한국 최초
화가.작가라는 타이틀이 붙은 나혜석이 깨부수고 싶
었던 벽은 세상의 편견과 제도다. 그리고 세상의 벽보
다 더 높은 벽은 바로 내 안의 벽이다. 세상을 향한 벽
을 부수기 위해 내적인 벽부터 깨기위해 더욱 고통스
러웠을 그녀의 삶은 안타까움과 동시에 도전정신을
배우게 된다.

'커다란 벽은 나혜석이 생전에 온몸으로 부딪혔던 사
회의 보수적 벽을 상징하며. 흡사 소나무 형상으로 갈
라진 틈은 사회의 벽을 깬 신여성의 진취적 면모를 의
미한다.'
(작품명 : 잠들지 않는 길. 작가명 : 김도근)

"**** 연기 논란도 있고. CG랑 광고가 너무 심하다고
해서 안 보고 있어" 지인의 말이다.

인기 있는 드라마

인기 있는 영화

인기 있는 패션 등등

나에게도 인기있는 것들로부터 회피하고 싶은 반항쟁이 기질이 있다. 내 취향이라며 핑계를 대며 살고 있지만. 이제는 좀 더 둥글둥글한 삶을 살고 싶다는 내 안의 외침을 듣곤 한다.

편견에 갇히면 나만의 벽을 더욱 두껍고 높이 쌓아간다. 부에 관한 공부를 하면서. 편견이 나를 더 가난하게 만들어버린 사실을 알게 되었다. 사람들이 좋아하는 매체를 외면했던 심보에서 이제는 오픈 마인드로 세상을 바라보기 시작한다. 비현실적인 매체를 비판하기도 하지만. 서서히 매체에 다양한 시점으로 관심을 열고 있다. 글쓰기에 관심을 두기 시작하며. 주위의 사물. 사람을 좀 더 세심하게 관찰하는 습관이 생겼다. 드라마·영화 대사들이 멜로디가 되어 마음속에 스며든다. 좋은 대사는 아름다운 영감과 이어진다. 요즘 매체는 모든 컷이 화보 같아 현실감이 떨어지기도 하지만. CG(컴퓨터 그래픽)는 독자에게 아름다운 자연을 간접 경험하게 해준다.

같은 경험을 해도 내 안에 벽을 쌓아놓으면. 진실의 40%에도 다가가지 못하며. 그 편견으로 인해 마음은 10% 더 작아지며 살게 된다. 무엇이든 보고. 경험해 보며 좀 더 세심하게 관찰하며 세상을 바라본 후. 그리고 행동한다. 마흔 중반 아줌마의 세상 바라기다.

사람은 자신이 보고 싶은 것만 본다. '확증편향' (거봐,내 말이 맞잖아!) 원하는 것만 보고 듣고 생각하고 싶어 자신의 틀에서 벗어나고 싶지 않은 우리의 삶에서 '편식 없는 독서. 편견 없는 관점. 편견 없는 행동' 내 안의 '편견'이라는 벽을 깨부수는 일이 힘들다는 걸 매번 실감한다. 마음속에 날카로운 칼날이 부드러워질 때까지 수련을 반복해야 하는 게 삶인가보다.

남자라서
여자라서
부자라서
가난해서
많이 배워서
못 배워서
예뻐서
못생겨서 등등

나 자신안에 외적인 벽과 내적인 벽이 존재한다. 오픈 마인드로 벽 가까이 다가간다. 벽을 깨는 힘이 아무리 작을지라도 조금씩 내 안의 벽부터 무너트리다보면 결국엔 외적인 큰 벽도 무너트릴 수 있을 거라 믿는다.

나혜석과 헨리 입센 <인형의 집> 주인공 노라는 시대적 사회 시스템에 갇혀 살았다. 나혜석은 모험과 도전하는 삶을 살며 스스로 벽을 깨기 위해 매번 시도하며 사회와 부딪히며 고통을 겪었고, 노라는 정해진 틀에서 순응하며 살아가다 결국 자신의 자아 부터 단단해져야한다는 깨달음을 얻고 집을 떠나 세상 밖으로 나간다. 결국 자신안의 벽부터 깨야 자신을 성장시키고 세상에 좀 더 나아갈 수 있다. 헤르만 헤세 <데미안> 데미안이 싱클레어를 통해 독자에게 전하는 메시지도 다르지 않다. '자신의 알'을 깨고 나와야 내가 제대로 존재할 수 있다. 오늘도 내안의 어떤 벽이 있을까 탐색해본다.

헨리크 입센 <인형의 집>

신여성 나혜석은 <인형의 집> 희곡의
영향을 받아 <인형의 가>라는 시를 쓰게 된다.
노라는 <인형의 집> 주인공이다.
남성 중심 사회에서 여성은 남성의 소유물.
노라는 직업을 가질 수 없었기 때문에
돈을 쓰기 위해서는 흥겹게 종달새처럼
말하고 웃으며 남편의 비위를 맞춰야 했다.
겉으로만 예쁘고 밝게 인형처럼 아내가
존재하기를 바라는 남편이다.
성인 여성이 돈을 빌리기 위해서도
남자 보호자(아버지 또는 남편)가 동반해야 했다

남편은 노라의 자존감에 상처를 주면서도
아무렇지도 않게 넘어가버리려고 한다.
노라는 자아의 눈을 뜨게 되고.
인형의 집에서 탈출해 자신을 성장시키고
단단하게 하는 것이 더 중요하다고 외친다.

남성 중심 사회의 벽은 곳곳에 잔재해 있다.
사회의 벽은 높고 시대에 따라 변할 수 있지만.
노라가 시대 안에서 깨지 못한
내 안의 벽은 더욱 높았던 것 같다.

지금 내 안에는 어떤 벽이 가로막고 있는가?

04. 개꿈이야

고전(**古典**:시대를 대표하는 것으로서. 후세 사람들의
모범이 될 만한 가치를 지닌 작품)을 고전(**苦戰**:전쟁
이나 운동 경기 따위에서 몹시 힘들고, 어렵게 싸움)
한다. 이번 달은 프란츠 카프카 <변신. 시골 의사> 민
음사 단편집으로 제대로 고전(苦戰)하고 있다. 한 두
단락으로 씌여진 작품도 있다. 내용을 읽고 멍하니 생
각에 잠겼다 다시 읽게 된다. 글을 읽는 것이 아닌 카
프카의 뇌속으로 들어가 있는 나를 발견한다.

카프카의 삶을 알아야 그의 생각을 조금은 알 수 있을
것 같다. 특히 그의 삶은 <변신>이라는 작품에서 많
이 엿볼 수 있다. "엄마, 내가 하룻밤 사이에 바퀴벌레
가 된다면 엄마는 나를 어떻게 할 거야?" 요즘 중고
등학생들 사이에서 유행하는 질문이다. 엄마는 바로
대답한다 "방에 가둬두지" "아니,어떻게 나를 방에
가둘 수가 있냐고" 이런 질문이 왜 유행하는 걸까?
왠지 마음이 쓸쓸하다.

카프카<변신>를 통해 어느 날 내가 곤충으로 바뀐다

면. 우리 가족 중에 누군가가 곤충으로 바뀐다면. 누군가가 심하게 아프다면 시간이 흐르면 귀찮은 존재가 되어버리겠지. 생각할 숙제가 너무나 많아진다. 결국엔 꿈으로까지 이어진다.

『비가 세차게 내리는 밤이다. 기후 위기로 메뚜기 떼가 창궐한 것도 아닌데. 멀리서 엄청나게 큰 분홍색 몸집에 크고 날카로운 부리를 가진 새들이 우리 집을 향해(통유리로 되어있다) 무섭게 날아온다. 멀리서 아들의 모습이 서서히 분홍색 날개를 펴더니 무서운 새가 되어 앞으로 날아오다 옆으로 날아가 버린다. 그 순간! 새가 된 아들보다는 새들의 공격이 무서워 문을 잠가버린다. 그리고 안쪽 방으로 들어가 꼭꼭 숨어 있다. 그런데 순간 온몸에 소름이 돋는다 '이럴수가. 아들이 밖에 있어.' 아들이 새가 되어버렸지만. 그래도 아들이잖아. 다른 새들의 공격을 받는다면? 순간 거실로 뛰어나가 밖을 바라본다. 이게 웬일인가? 문을 두드리면 되건만 거센 비바람에 벌벌 떨고 있는 아들이 문 앞에 축축이 젖어 서 있다. (두드렸다면 열렸을 것을) 그것도 집에서 매일 입고 있던 속옷만 입고 말이다. 순간 새들은 보이지 않는다. 그냥 문을 열고 아들 손을 잡아당겨 끌어안았다. 냉기가 엄습한다. 꽁꽁

언 아들은 말이 없다. 방으로 데리고 들어와 마사지 해주고 따뜻하게 호호 데워준다. 내 눈엔 눈물이 가득 고인다. "아들아~아들아! 미안해. 새들이 너무 무서워서 아들이 있다는 걸 깜박하고 말았네." 평소처럼 그냥 아들은 별말 없이, 바들바들 계속 떨고 있다.』

소스라치게 놀라 눈을 뜬다. 아들 방으로 서둘러 간다. 창문이 활짝 열려 있다. 춥지는 않지만. 서늘하다. 이불을 꽁꽁 덮어주고. 얼굴과 머리를 한 번씩 쓰다듬고 바라본다. 새벽 3시 30분. 쌔근쌔근 잠자는 아들. 방으로 다시 돌아와 잠자는 남편을 보며 안도감과 감사함을 느낀다. 다시 잠들긴 했지만. 아침 눈을 떠도 너무나 생생한 꿈이다. 고전이 내 무의식 세계까지 지배하게 되어버린 걸까? 요즘 쏠쏠한 재미를 느끼는 남편과의 카페 데이트에서 꿈 이야기하니. "개꿈 한 번 제대로 꿨네."라며 웃는다.

카프카가 투영된 <변신>의 주인공 그레고르가 더러운 해충으로 바뀌었다는 걸 가족이 알았는데도. 처음엔 보살피는 듯하지만. 나중에는 발로 차버리고 상처를 입힌다. 그레고르는 스스로 굶어 죽게 둔다. 자본주의 삶속에서 희생자가 존재하지만. 사람들은 자신

135

의 삶을 계속 살아가는 냉정한 현실로 돌아오게 된다. 엉뚱한 꿈을 꿔버렸지만. 내가 만일 해충이 되어버린 다면? 새가 되어버린다면? 아들과 남편은 문을 열어 줄까? 생각해보니 내가 공격할 수 있는 상황이라면 문을 열지 말라고 소리칠 것 같다. 그레고르도 자신이 사라져야 가족들이 평온한 삶으로 다시 돌아갈 수 있을 거라고 생각하며 스스로 굶어 죽게 된다. 슬프지만 현실적인 카프카의 생각을 읽어내 본다.

프란츠 카프카 <변신>

외판원 그레고르 잠자는
어느 날 아침
더러운 해충으로 변신해 버린 자신을 발견한다.
하지만 좌절하지 않고 벌레에 적응하기 위해
100번 이상 연습하며 노력한다.

가족들은 자신을 알아보지만.
(사실 알이본건지 계속 헷갈리기도 하다.)
가족의 충격을 더 걱정한다.
벌레가 되서도 자신의 소득으로 살아간
가족들이 걱정이다.

하지만 서서히 가족들은
일을 시작하고 게으른 생활을 정리하기 시작한다.
결국 헌신적인 그레고르를 보며 내가 모든 걸
책임지지 않아도 삶은 흘러간다는 깨닫게된다.

자식에게 헌신하는 부모
누군가를 위해 헌신하는 사람 보다는
내가 사랑하는 이들을 위해 헌신해야겠다는
책임감을 조금은 내려놓는게
삶의 지혜 아닐까?

05. 가스라이팅

책을 읽다 보면. 한 단어에 마음의 초점이 박힐 때가 있다. 타로 전문가 정회도 <운의 알고리즘> 안될 운명을 멈추는 알고리즘 '인연을 함부로 맺지 마라' 누구에게나 엄친아로 보이는 그녀는 남친이 바람을 피워 상담하러 왔다. 남친은 평소에 그녀를 '가스라이팅' 하기에 자존감이 무너져 내렸다고 한다. '가스라이팅'이 어떤 뜻이기에 요즘 매체에서 많이 언급되고 있을까 궁금하다. 사전적 의미부터 찾아본다.

가스라이팅 (Gas-lighting)
타인의 심리나 상황을 교묘하게 조작해 그 사람이 자신을 의심하게 만듦으로써 타인에 대한 지배력을 강화하는 행위로, <가스등(Gas Light)>(1938)이란 연극에서 유래한 용어이다. 가스라이팅은 가정, 학교, 연인 등 주로 밀접하거나 친밀한 관계에서 이뤄지는 경우가 많은데, 보통 수평적이기보다 비대칭적 권력으로 누군가를 통제하고 억압하려 할 때 이뤄지게 된다. (출처 : 네이버 지식백과)

뉴스. 영화. 드라마. 책. 등 가스라이팅을 인식하지 못한 상태에서 자신의 존재감이 점점 없어지다 결국 비극으로 끝나는 경우를 종종 보게 된다. 사람은 자존감이 중요한 삶의 기준이 되지만 자신도 모르는 사이에 내적 또는 외적 벌레가 자존감을 야금야금 파먹어 버리면. 빈껍데기만 남는다. 비극이 닥치기 전에 이 상황을 알아차림이 중요하다.

조지 오웰 <동물농장> 인간이 운영하는 '매너 농장'에 동물들이 비참한 환경에서 혹사당하고 있다는 걸 똑똑한 돼지들이 알아차리며 서서히 다른 동물들을 선동하기 시작한다. 매너 농장주 존스 씨는 결국 동물들에 의해서 쫓겨나고 농장엔 평화가 오는 듯하다. 공평하게 일하고 공평하게 나눈다는 규칙(사회·정치적으로 시사하는 바가 있는 듯하다)을 세운다. '동물농장'은 인간이 아닌 동물들의 순수한 농장으로 새롭게 시작된다. 돼지들이 지배층이 된다. 그중 독재자가 나온다. 돼지가 아닌 동물들은 돼지가 똑똑하니. 그냥 받아들이고. 글을 모르거나 알아도 모른 척하는 동물들도 등장한다. 그러다 보니 규칙이 어느 순간 모두 돼지 위주로 흘러간다. 다른 동물이 죽어 나가면서 (반항하는 존재) 하나둘씩 회의(알아차림)를 느끼기 시작한다. 돼지들은 가스라이팅을 당했던 피해자였지만. 알아차림으로써 동물농장을 주도하면서 거만함과 독재에 빠져 다른 동물들에게 가스라이팅을 하는 피의자가 된다.

"내가 가스라이팅을 당하고 있다는 걸 인지하는 순간 벗어날 수 있다고 한다."

지구는 인간에 의해 가스라이팅을 당했다. 지구는 그 사실을 인지하고 표출하기 시작한다. 환경. 사회. 정치. 경제 모든 관계 속에서 우리는 서로 가스라이팅의 피해자. 가해자로 살고 있는지도 모른다.

조지 오웰 <동물농장>

농장주는 동물들을 쉼 없이 착취하고
잘못되었다고 인지하기 시작하며 반란이 일어난다.
우리의 역사도 그렇게 흘러온다.

의식이 깨어있던 돼지들이 지도자가 되어
반란을 주도하며 동물들이 운영하는
'동물농장'이 태어난다.
공평하게 일하고 나누는 농장의 규칙도 세운다.
하지만 돼지들은 서서히 거만해지고
허영심이 늘어나 독재하기 시작한다.
예전보다 오히려 더 비참해지고 만다.

더욱 풍만해진 돼지들은 적대시했던 사람들을
초대해 함께 술을 마시고.
인간처럼 두 발로 서서 축배를 든다.

<동물농장>을 접한 이후
세상을 살아가는 흐름을 조금 더 냉정하게
관찰하며 때론 비판도 필요하다는걸 알게 되었다.

세상을 외면하는 순간
나도 모르게 가스라이팅을 당할 수도 있다.

06. 인생 드로잉

"하고 싶은 만큼. 할 수 있는 만큼. 자유롭게 그려보세요" 펜 드로잉 수업 중 선생님의 말씀이다.

요즘 빠지기 시작한 드로잉은 인생을 그려나가는 방법과 유사하다. 내 삶의 윤곽을 세우고. 구체적으로 나눠. 하나씩 그려나가는 과정을 반복한다. '인생 드로잉' 인생은 내가 그리는 그림이다. 내 마음의 소리를 따라가는 건 인생의 지도를 그려나가는 하나하나의 과정임을 오늘도 깨닫는다. 힘들다면 내가 원하는 대로 더하고 빼고 뒤틀어 내 스타일로 만들어 간다. 이렇듯 인생을 그려나갈 땐 유연함이 한 스푼 필요하다. 중심선을 긋고. 좌우 살을 붙인다. 고치고. 지우고. 수십 번 다시 그리면서 겸허함과 유연함을 배운다.

그림에는 중심이 있다. 우리의 삶에도 중심을 세운 후 살을 붙인다. 고난 속에서도 예술인은 자신의 신념을 끝까지 지키며 살아 나가려 한다. 무언가 내 생각을 담아내는 예술은 인생을 그려나가는 과정이라는 생각이 든다.

한동안 나는 인생 드로잉에 빠져서 허우적거릴 것 같다. 끝없는 드로잉의 연습이 작품을 만들어 내듯. 인생 드로잉도 끝없이 시행착오를 겪어야 하나 보다. 인생은 끝이 있지만 답은 없다. 인생의 조각조각을 더하고. 빼며. 그렇게 유연하게 살고 싶다. 너무 팽팽해 끊어지면 더 먼 길을 돌아가야 할지도 모르니 말이다. 오늘도 유연하게 마음을 다해 인생 드로잉을 그려본다.

밀란 쿤데라
<참을 수 없는 존재의 가벼움>

토마시. 테레자. 프란츠. 사비나 네 인물의
인생과 사랑이 다양한 빛깔로 묘사된 작품이다.
자유롭고 가벼운 삶을 추구하는 토마시와 사비나.
윤리적인 무게감 때문에 무거운 책임감을 느끼는
테레자와 프란츠는 서로 다른 삶의 방식이
어우러져 커플을 이루며 갈등을 겪고
이해해 가는 과정을 그린다.

세월이 흘러가며 그들은 자신에 대해 객관적으로
알아가면서 삶은 가볍게 살고 싶지만.
결국은 무거움으로 마감된다는 메시지를 준다.

유연한 인생 드로잉이 내 삶에 끊임없는
자유로움을 추구하며 살지만 결국 죽음이라는
무거움 앞에서 마감될 수도 있다.
하지만 오늘을 살아도 나만의 인생 드로잉을
자유롭게 그려나가고 싶다.
인생에서 참을수 없는 존재의 가벼움을
조금은 받아들이는 유연한 삶이 필요하다.

오늘도 나는 너무 무거움을 추구하며
살았던 건 아닐까?

07. 사랑 자판기

"엄마 자판기? 이름 진짜 잘 지었네. 나는 요리 자판기가 있으면 좋겠네!"

작은 도서관 사서 봉사날이다. 책을 대출하고, 반납할때 바코드를 찍는 동시에 제목을 소리 내어 읽어보는 습관이 생겼다. (도서관은 주로 아이들 그림책 대여가 많다. 요즘 아이들의 관심 사항이 궁금해서 생긴 습관이다. 간혹 아들이 어릴 적 좋아하던 그림책을 만나면 반갑다) 월말 마감을 위해 몇명의 임원이 나와 있다. "남편 자판기가 있으면 얼마나 좋아!" 한 엄마의 말에 박장대소를 하고 말았다. 자신의 경험으로 주제를 바꾼다. 지금 나에겐 다양한 먹거리가 제일 큰 관심사인가 보다. '요리 자판기'가 있으면 좋겠다. 책 제목처럼 '엄마 자판기'가 있으면 좋겠다는 아이들의 마음이 헤아려지니 마음이 씁쓸하다.

아이의 시선과 마음으로 제목과 책을 쓴 듯하다. 청소년 소설 이희영 <페인트> 부모들이 아이를 입양해주길 소원하는 아이들이 있다. 주인공 지누는 17살

곧 시설에서 나가야 하는 날이 되지만. 부모에게 선택받기보다 부모를 선택하기를 원하고 결국은 입양되기를 포기한다. 입양되지 않으면 사회에 나와서도 루저로 살아야 하는 지누의 삶이다. 결국 부모의 사랑을 제대로 받지 못하고 사회에 나온 아이들은 결국 '루저가 된다'는 의미로 다가와 마음이 아릿하다.

가장 근본적인 가족 간의 사랑에서 제대로 뿌리가 깊지 않으면 '나'라는 나무가 건강하게 자랄 힘이 없다. 건강한 체력과 건강한 마음이 골고루 섞인 양질의 거름이 충분히 채워져야 건강한 나무로 성장할 수 있다. 성인이 되고 결혼생활을 하면서도 삐끄덕거리는 마음을 들여다보면 어린 시절 사랑 결핍으로 인한 상처가 마음의 병이 되어 결국 건강한 성인으로 성장하지 못해 힘들어하는 모습을 많이 보게 된다. 마흔이 넘으면 이젠 부모와 타인에 대한 원망만으로 살 수 없다. 나 자신을 들여다보고 결핍된 원인을 찾아내어 다독이고 치유하는 과정인 자신을 사랑하는 연습이 필요하다.

나의 어린 시절 아니 몇 년 전으로 돌아간다. '엄마 자판기가 필요하니?' '당연하지! 난 너무 필요해'   고전을 만나기 전 이런 철없는 원망이 나를 지배하고 있었다. 이젠 이런 질문에 당당히 답한다. '엄마 자판기 필요 없어요. 다른 데 가보세요'

부모가 아이를 선택할 수도. 아이가 부모를 선택할 수도 없는 것이 자연의 법칙이라면 아이의 솔직한 마음에 공감할 수 있는 엄마. 아빠가 되고 싶다. '사랑 자판기가 있으면 얼마나 좋을까?' 중얼거려 본다. 사랑이 필요한 모든 이들이 언제든 필요한 사랑의 버튼을 누른다. 금액은 커피 자판기 수준이면 더 좋겠다. 자본주의 시대에 사랑 자판기가 나온다면. 순수함을 상실하는 장난을 걸어버릴 장사꾼들이 또 잔머리 굴릴지 모르겠다는 생각도 해보지만. 결국은 진정한 '사랑'의 의미는 모두가 알고 있지 않을까? 사랑 자판기가 필요없는 세상을 꿈꿔본다.

톨스토이
<사람은 무엇으로 사는가?>

가난한 구두장이 부부가 산다.
구두장이 세묜은 겨울을 버틸 외투를
마련하기 위해 마을로 간다.
집에 오는 길 벌거벗은 채로 떨고 있는
미하일을 못 본 체하지 못하고 결국
자신 옷까지 벗어주고. 집으로 데려온다.
결국 아내도 사랑으로 미하일을 받아들인다.
아내가 받아들여 줄 때
미하일은 눈썹이 올라가며 ′미소′를 짓는다.

시간이 흐르며 미하일은 세 번의 웃음을 짓는다.
궁금한 세묜이 묻는다.
미하일은 천사였으며. 하나님의 명을 어겨
벌을 받고 있는데 세 가지 진리를 찾아야만
다시 하늘로 올라갈 수 있다고 말한다.
세 가지 진리를 깨달았을 때 미하일은 웃게된다.

세 가지 진리는
'사람의 마음에는 무엇이 있는가?'
'사람에게 허락되지 않은 것은 무엇인가?'
'사람은 무엇으로 사는가?'
그중 '사람은 무엇으로 사는가?' '사랑'이다.
사랑은 보이지 않지만 강력한 힘을 갖는다.

148

08. 멀티 페르소나

즐겨듣는 라디오 프로그램에서 「멀티 페르소나」라는 용어가 나온다. 페르소나는 '가면'이라는 의미지만 '멀티'와 함께 사용되면 또 다른 의미가 된다.

멀티 페르소나 (Multi-persona)

'다중적 자아'라는 뜻으로. 상황에 맞게 가면을 바꿔 쓰듯 다양한 정체성을 가진 현대인을 일컫는 말이다. 여기서 페르소나는 가면이라는 뜻을 가진 라틴어로. 심리학적으로는 타인에게 파악되는 자아 또는 자아가 사회적 지위나 가치관에 의해 타인에게 투사된 성격을 의미한다. (출처 : 네이버 백과사전)

방송에서는 현대 사회에 드러나는 멀티 페르소나 현상에 대해 다양하게 조명해 본다. 요즘 사람들은 본캐(본래의 캐릭터:게임에서 널리 사용된 용어) 이외에 부캐(부캐릭터)가 다양해지고 있다. 직장인들은 본캐에 목숨 걸지 않고. 부캐로 스트레스를 풀며. 회사에 출근할 때 엘리베이터 타는 순간부터 본캐 페르소나를 지니게 된다.

MZ세대(1980년대 초~2000년대 초 출생한 밀레니얼 세대와 1990년대 중반~ 2000년대 초반 출생한 Z세대를 통칭)에서 남녀 구분 없이 '사람'을 중심으로 생각하는 움직임으로 요즘 대세인 '펭수'를 비롯해서. 남자 연예인 화장품 광고. 여성의 의상도 이젠 아버지 옷의 큼지막한 핏의 패션을 보여주고 있다. 앱을 통해 셀카를 찍어 SNS에 사진을 올린다. 이젠 앱 없이 내 얼굴을 드러낼 수 없다. 앱으로 보여진 자신의 사진을 보여주며 "이렇게 성형해 주세요"라는 갈망도 멀티 페르소나의 한 면이다. 무조건 유명 연예인의 사진을 보여주며 성형해달라는 것보다 그래도 자신의 얼굴이니 어찌 보면 긍정적인 부분도 있어 보인다.

다양한 멀티 페르소나의 현상으로 자신의 정체성에 대해 고민이 더욱 깊어지기도 하지만. 다양한 취미로 인해 100세 시대를 준비할 수 있는 부캐가 본캐가 되는 행복을 누릴 수도 있다. 또한 우리는 환경에서 멀티 페르소나를 만난다. 화석 연료. 원자력을 줄이고. 신재생에너지에 관심을 가지는 것도 현재 지구 기후위기에 맞춰 우리가 갖게 되는 멀티 페르소나라 생각된다.
우리의 자아는 선과 악이 함께 공존한다. 그렇기에 페

르소나는 시대가 변할수록 다양하게 변화될 수밖에 없다. 나는 어떤 멀티 페르소나를 갖고 있을까? 페르소나 없이 살 수 있는 세상은 있을까? 페르소나에 대해 나는 어떤 의미를 두고 있나?

'저 사람 너무 가식적이지 않아?'라는 말속에 페르소나를 인정하지 못하는 우리의 편견이 담겨있다. 헤르만 헤세 <데미안> 싱클레어는 자기 내부의 선과 악의 쉼 없는 싸움으로 정체성에 혼란을 겪곤 한다. 하지만. 싱클레어에게 '데미안'이라는 존재가 다가오며. 이 혼란의 원인들도 모두 자기 자신임을 인정하게 된다. 타인에 의한 페르소나가 아닌 내 안의 다양한 페르소나를 인정함으로써 가식적이라는 말도 수용할 수 있어야 한다. 자신의 멀티 페르소나 중에서 잠재력을 찾아보는 것도 지금 시대에 필요하다.

헤르만 헤세
<데미안>

십대 질풍노도의 시기에 접어든 싱클레어는
착하게만 살았던 자기 삶에
돌출구를 찾으며 희열을 느끼지만
쉼 없이 내부의 선과 악의
싸움으로 정체성에 혼란을 느끼곤 한다.

데미안이라는 친구가 다가와
싱클레어에게 손을 내밀고.
도움을 주곤 하지만.
다시 거리를 두는 싱클레어.

결국은 자기 자신 안에 선과 악이 함께
존재할 수 있다는 것을 인정함으로써
질풍노도의 시기와 정체성의 혼란기를
극복해 가며 성장해 간다.

나는 내 안의 멀티 페르소나를 인정하는가?

09. 인생은 강물처럼 흐른다

강물이 흘러간다. 흘러가다 바위를 만난다.

바위에 부딪힌 강물은 바위를 뚫어낼 듯이 맹렬히 사방에 거품을 튀긴다.

결국 바위를 뚫지 못하고 '내 상대가 아니네'라며. 바위를 피해 휘어져 흘러간다.

바위와 부딪힘이 없던 강물은 아무런 충돌 없이 잔잔한 물결대로 흘러간다.

조용히 흘러가는 강물도 바위에 부딪혀 부서지는 강물도 모두 우리의 인생을 닮았다.

바위가 크면 튕겨 나가는 거품의 모양과 크기도 커질수밖에 없다.

거품은 삶을 살다 부딪히는 다양한 장애물을 뚫고 지나가 보려는 도전. 용기의 몸부림이다. 강물은 바위와 싸워보려 하지만 결국은 바위를 피해 휘돌아 다시 가야 할 길을 간다. 인생의 장애물을 만나게 되면. 나는 피해 갔나? 아니면 부딪혀서 그 순간 집중해 극복해나갔나? 장애물을 극복하는 건 투쟁이자 전쟁일 수도 있지만. 이젠 '유연성'이라는 지혜로 바위를 피해 휘어져 가본다.

유유히 흐르던 강물과 멍투성이인 강물이 만나 흘러 간다. 다양한 크기의 바위들이 곳곳을 굳건히 지키고 서 있다. 처음부터 부딪힘이 없었던 강물도 더 이상 비켜 갈 곳이 없이 또 다른 바위들과 부딪히고 다양한 크기의 거품을 뿜어댄다. 이번엔 거대한 절벽을 만난 다. 용케 피해 왔던 강물들도 절벽이라는 인생 최대의 장애물을 만나게 된다.

모든 강물은 눈을 질끈 감는다. 용기를 내 볼 사이도 없이 떠밀리듯 절벽 아래로 낙하하며 수만 갈래로 흩 어진다. 강물은 두렵기도 하고. 전율을 느끼며 환호성 을 지르기도 하고, 아무 생각 없이 그냥 떨어짐을 맞 이하기도 한다. 다시 잔잔한 하류에 모인 강물들은 이 제 쉼을 누리고 싶다. 하지만 저 앞에 모양도 크기도 다양한 바위들이 곳곳에 자리를 지키고 있다. 나도 강 물이 되어 여기까지 함께 흘러왔다. 저 앞에 수많은 바위가 보인다. 숨이 턱 하니 막혀 버린다. 모든 강물 이 만나는 바다에 도착할 때까지 다양한 바위. 또는 절벽이 앞에 나타날 것이다.

어린 시절 언제나 가까이 있던 강물은 잔잔히 흐른다는 생각조차 할 수 없이 스펙터클한 놀이공원이었다. 고동 잡고. 수영하고. 물장구치고. 순간의 소동이 끝나고 나면. 아무 일 없는 듯 냇물은 다시 졸졸 조용히 흘러간다. 마치 인생에서 한바탕 파도를 만난 후. 시간이 흘러 다시 정리된 차분한 삶을 사는 것과 같다.

남편 고향 함양. 여름휴가때 찾게 되는 지리산 계곡. 폭포, 강물의 투명함. 거친 흘러감은 '물멍' 때리기에 최적의 시공간을 제공해 준다. 강물이 내려오다 바위라는 장애물에 부딪히며 하얀 거품을 토해내면 마치 강물이 힘차게 춤을 추는 것 같다. 반복해서 내려오는 물줄기가 같은 바위에 부딪히며 거품을 일으키며 다양한 모양들을 연출해 낸다. 거품을 한창 바라보고 있다 보니 머리가 맑아진다.

처음부터 바위를 만나지 않았던 강물이 부러울 때도 있다. 하지만 결국 절벽이라는 더 강력한 장애물은 어떤 강물도 피해 갈 수 없다. 잔잔히 흐르고만 있다고 생각했던 강물은 보이지 않게 거느린 식구들을 쉼 없이 움직이게 만든다. 우아하게 헤엄치지만 쉼 없이 발을 움직이는 백조처럼 말이다. 강물이 흘러가는 자체가 우리의 삶이다.

강물은 쉬고 싶다. 하지만 쉼 없이 움직이고 흘러가야 하는 것이 운명이다.

사람도 쉬고 싶다. 하지만 쉼 없이 움직이고 부딪혀야 하는 것이 운명이다.

나이 듦이 싫지만. 시간은 쉼 없이 강물처럼 흘러가기에 나이도 흘러간다.

변화하고 싶지 않지만. 변화하는 것이 자연의 섭리기에 변화해야 한다.

변화하지 않으려고 애쓰다 보면 삶이 더욱 힘들어진다.

바위를 휘어져 유유히 흘러가 폭포를 자연스럽게 받아들이는 순응하는 인생.

바위와 싸워 얻어터지고. 절벽으로 떨어져 부서지기를 반복하는 그런 롤러코스터 같은 인생.

순응과 롤러코스터와 같은 인생은 결국 한곳에서 모여 섞이게 되는 강물처럼 흘러가 누구나 종착지에 도착한다. 바다에 스며든 강물이 조용히 말한다. '이것이 인생이지' 화려한 인생을 꿈꾸지는 않지만. 매일 강물처럼 알록달록하게 다채로운 하루를 맞이하고 싶다.

마르쿠스 아우렐리우스
<명상록>

로마 황제. 스토아철학자.
마르쿠스 아우렐리우스

우주의 섭리에 순응하며 사는 것.
전쟁 중 오늘 생명이 다 할 수 있는
상황에서도 자신의 임무를 충실히 하다
모든 생명이 자연의 섭리임을 받아들이듯
죽음도 기꺼이 받아들이겠다는
언행일치를 추구했던 현명하고 지혜로운 황제.

쉼 없이 흘러가는 강물처럼
내 삶도 상황에 따라 쉼 없이 흘러가지만,
의미 없이 흘러가지 않는다.
끝없이 수련하며 지위·명예·부에 대한
추구만이 아닌 자신의 철학에 더욱
가치를 두며 산다.

내 생명이 다 할 즈음
강물처럼 흘러간 삶을
자연스럽게 받아들일수 있을까?

「번데기에서 나오는 과정은
참을성 있게 이루어져야 했고,
날개를 펴는 과정은 햇빛을 받으며
서서히 진행되어야 했다.」

니코스 카잔차키스
〈그리스인 조르바〉

PART 5. 자연
IN 고전

01. 피톤치드의 비밀

식물의 치유 능력 '아로마테라피' 공부에 빠져있다. 새로운 천연 에센셜 오일을 알아가면서 지나쳤던 자연의 비밀을 알아간다. 매일 루틴인 산책을 하며, 만보 걷기를 하다 보면 나무. 하늘. 바람. 별. 새들과 만나게 된다. 코끝에 진한 소나무 향이 스며들 때면 마음과 몸이 맑아지는 느낌이 든다. 이 독특한 향을 피톤치드라 한다. 꽃이 벌이나 나비를 유혹하기 위해 화학물질을 배출한 역할도 하지만. 나무의 줄기와 잎에서는 꽃과 달리 진드기. 곰팡이. 초식동물의 침입을 막기 위한 자기만의 방어물질을 에어로졸 형태로 뿌려주는 식물의 방어 능력을 의미하기도 한다. (참고: 네이버 지식백과)

초식동물이 맛있는 식물을 보고 입맛을 다신다. 움직이지 못하는 식물이니 느긋하게 포식을 위해 다가간다. 순간 '으악, 이게 무슨 냄새지?' 기겁하고 도망가 버린다. 열심히 걷던 나는 '어~ 이게 무슨 냄새지? 너무 좋다.' 식물은 피톤치드로 자신을 보호하지만. 인간에겐 선물이 된다. 천연 오일의 향기를 맡다 보면 나에게 맞는 향이 있기도 하지만. 기절할 정도로 찡그려지는 향이 있다. 아로마테라피는 신기하게도 자신이 싫어하던 향도 계속 사용하다 보면 향이 좋아진다. 라벤더 향이 처음엔 거북했지만 이젠 좋은 향으로 변해가고 있다. 라벤더가 내뿜는 에너지가 내 몸과 마음에 자연스럽게 스며들고 있다.

피톤(Phyton)은 '식물'을 치드(Cide)는 '죽인다'는 뜻이다. 자연은 방어. 사람은 치유. 자연이 늘어날 수록 우리에겐 치유해 주는 기회도 늘어난다. '포노 치드' 자신을 공격하는 사람을 다가오지 못하게 보이지 않는 방어벽을 튼튼히 세운다. 조금은 살벌할 것 같은 관계지만. 방어벽을 세워야 할 때는 포노 치드를 발사한다. 이 신비한 물질을 만들어 내는 장소는 자신의 마음이다. 마음은 상대방의 언행에 따라 양을 조절해 발사해준다. 내 안에 포노 치드 시스템이 원활하게 작동되도록 마음의 수련을 다짐한다.

'치료는 자연이 한다. 의사는 돌볼 뿐이다.'
- 히포크라테스-

02. 카네이션

스승의 날이다. 어버이날도 조용히 지나가던 아들이 "엄마 이 캘리붓 잘 그려지네? 이 꽃 학원 선생님한테 보냈어!"라면서 보여준다. 자신이 그린 카네이션을 찍어 선생님한테 톡으로 보낸거다. "아들! 오랜만에 멋진 작품 그렸네. 어버이날은 그냥 지나가더니 선생님한테는 이렇게 멋진 카네이션을 드리는 거야?" 엄마한테 내밀며 가지란다. 치사함과 기쁨이 교차한다.

어릴 적부터 다양한 그림을 그리던 아이의 예술 세상은 자유롭고 거칠 것이 없었다. 엄마표 놀이 교육을 하며 '아이 스케치북에 손대지 않기' 신념을 지켰건만 초등학교 입학 전 친구들과 놀 겸 함께 보낸 미술학원은 가장 후회된 결정이었다. 선생님은 아이의 그림을 수정하고 시간 안에 끝내기에 바빴다. 상을 목적으로 하던 학원임을 알면서도 보낸 무지한 엄마로 인해 아이는 '나 그림 못 그려'라는 말을 자주 했다. 손끝에 강한 힘이 있어 드로잉이나 알록달록 컬러감도 참 좋고 자신의 표현을 자유롭게 했었던 아들은 그리기를 멈춰버렸다. 아이를 다시 키운다면 '아이 스케치북에 손대지 않기' 끝까지 지켜나가고 싶다.

시간이 흘러 아들은 게임 캐릭터를 끄적거리곤 했다. 휘리릭 그리는데도 그림 맵시가 다른 걸 보면 이모를 닮았다 생각했다. 언니는 그림 한번 배운 적 없지만독서와 그림 그리는 걸 좋아해서 독후감이나 미술대회 나가면 상을 타오곤 했다. 나는 매번 글쓰기.미술 숙제는 언니한테 맡겨버리고 신나게 놀러 나갔다. 세월이 흘러 내가 글쓰기를 좋아하고 그림을 끄적거리는 걸 좋아하는 사람이라는 걸 알게 되었다. 알고 보니 엄마도 닮은 아들이었다. 아들은 머릿속에 떠오르는 대로 카네이션을 그린다. 붉은색 카네이션 아랫부분은 더 붉은색으로 그림자를 표현해 그라데이션을 준다.

스승의날과 어버이날 선물로 카네이션을 준비하는 것이 전통이 된 듯 하다. 요즘은 가슴에 달아드리지 않고 화분이나 바구니. 용돈 박스에 넣어 드리거나 MZ세대는 이렇게 그림과 사진으로 선물 하기도 하나 보다. (나는 꽃바구니가 좋다.)

국민학교 다닐때 학교에서 색종이로 빨간색 카네이션에 옷핀을 달아 만들어 오면 할머니에게 달아드렸다. 중학생부터는 엄마한테 종이 카네이션이 아닌 용돈으로 카네이션 한 송이 사서 넌지시 달아 드리곤 했다. 붉은 카네이션의 의미는 '깊은 사랑과 애정'이다. 아들이 그린 그림 속 붉은 카네이션은 영원히 시들지 않은 불멸의 사랑을 담은 카네이션이 된다.

카네이션을 보니 뵙고 싶은 분이 떠오른다. 국민학교 6학년 서울로 전학 후 적응하기 어려워한 나를 보듬어 주셨던 담임선생님의 얼굴과 성함까지 뚜렷하게 기억난다. 선생님은 항상 잔잔하게 미소 지어 주셨고. 어떤 상황에서 상처 받을지 잘 알고 조용히 다독여 주셨고. 공부하기 힘들어 할 때(시골에서 신나게 뛰어놀다 갑자기 서울로 전학오게 되니. 학업부분이 많이 뒤쳐졌다)도 문제집을 주시면서 풀어보라고도 하셨다. 평생 가장 기억에 남는 그립고 고마운 선생님이다.

카네이션은 진실한 사랑과 존경의 마음을 담아 드리는 상징물이다. 요즘은 너무나 마케팅 경쟁이 심해져 카네이션 의미가 퇴색된 것 같아 아쉽다. 나 자신부터 겉으로 화려하고 비싼 카네이션보다 한 송이라도 직접 가슴에 달아드리는 카네이션을 준비해볼까 한다. 나이든 딸이 종이로 접은 카네이션을('엄마 사랑해요!') 가슴에 달아드리면 어떤 기분이 드실까? 아들에게 할머니한테 드릴 카네이션을 같이 만들어 보자고 할까? 엄마표 놀이를 하듯 말이다. 카네이션을 접는 과정에서 사랑과 감사함을 되뇌일 여유가 생기지 않을까?

03. 자연의 선물 좀작살나무 열매

상쾌한 가을 아침 분리배출을 하고 빈 수레를 끌고 나만의 산책길을 걷는다. 어느새 작은 들꽃들이 숨바꼭질 하듯 모두 사라져 버렸다. 갑자기 낮아진 온도에 지레 겁먹고 숨은 거다. 꽃을 보면 계절을 느끼게 된다. 사라진 들꽃 자리에 열릴까 말까 쭈뼛거렸던 작은 열매가 보라색 탱글탱글한 고혹적인 열매로 변신을 한다. 앞에 앉아 이리저리 관찰한다.

이름을 몰라도 그 자체로 아름답고 사랑스러우면 그만이라 생각했다. 하지만 누가 내 이름을 불러주면 기분 좋아지는 것처럼 식물이든 동물이든 자신의 이름을 불러주면 좋아하겠다는 생각이 든 이후 이름을 알아내고 외우려고 노력한다. 검색 찬스를 이용해 보기로 했다. 열매의 이름은 '좀작살나무'라는 다소 달콤살벌한 이름을 가졌다. 10월 가을. 한국. 일본 등 산지에 자라지만. 관상용으로도 키운다는 좀작살나무는 아파트가 조성되면서 단지 뒤뜰에 이사를 온 듯하다. 자연의 순환은 계절을 거스르지 않는다. 하지만 기후위기로 생태계의 순환이 뒤엉키는 현상들이 많이 늘

어나고 있다. 봄. 가을이 줄어들고. 여름. 겨울이 길어
지다 보면 자연도 혼란스러워 계절도 거스르는 자연
현상들이 늘수밖에 없다. 가을이지만 봄의 여왕 장미
가 몇송이 피어 있는 걸 보면 씁쓸함을 느낀다.

눈과 핸드폰 카메라로 찰칵, 인증 사진을 담고. 미니
오솔길을 걸어본다. 햇볕을 받아 보라빛 보석처럼 반
짝인다. 가까이 보면 짙고 탄탄한 매력이 보이고 멀리
보면 나뭇가지에 대롱대롱 매달려 아기자기함을 자
아낸다. 입 안에 넣고 살짝 터트리면 어떤 맛이 날지
궁금해진다. 이상하게도 입 안에 침이 고인다.

소꿉놀이하던 시절 좀작살나무 열매가 있었다면 흙
으로 빚은 국수에 맛난 보라색 열매를 고명으로 올
렸겠지? 손에 닿는 모든 자연물이 요리재료로 재탄
생 되곤 했다. 요리할 때 '파'가 왜 그리 많이 필요했
나 모르겠다. 물론 진짜 파는 아니다. 잡초인 듯한데.
뻣뻣하고 길쭉한 풀잎이 꼭 파같이 생겨서 요리에 사
용했다. 흙에 물을 부어 동글동글 빚어. 만두를 만들
어 먹기도 하고. 밥은 빈 공기만으로도 훌륭했다. "여
보야. 이거 내가 만든 맛있는 국수 랑께. 맛있게 먹어
봐''

코로나 이후 자연의 소중함을 더 깊이 깨닫는다. 산책할 때 하늘. 나무. 풀. 꽃들을 그냥 지나치질 못한다. 자연은 우리에게 다양한 선물을 주고 있다는 걸 새삼 느낀다. 자연을 소중히 여긴다는 것은 나를 소중히 여긴다는 것과 다르지 않다. 나를 소중히 대하니 자연을 더 소중하게 대하게 된다.

루시 모드 몽고메리
<빨강 머리 앤>

앤은 아름다운 초록 지붕 집에 살게 되면서.
아름다운 바다. 들.꽃. 바람 모든 것을
관심에서 버려두지 않는다.
반짝이는 호수. 아름다운 들판
모든 자연과 사물에
사랑으로 이름을 만들어 의미를 부여해 준다.
외로운 날들 자기 얼굴이 보이는 거울과
자신의 목소리에도 이름을 붙여주고
마음의 친구로 삼는다.

그냥 지나치면 그냥 사물일 뿐이고.
그냥 사람일 뿐이다.
하지만 앤처럼 모든 걸 진심 어린 마음으로
바라본다면 보이는 건 분명 다를 것이다.

공원을 거닐다 사랑스러운 앤이 투영되어
버린 나는 모든 사물에 대화를 시도해 본다.
소중한 자연을 스쳐 지나가지 않고
사랑과 관심을 가져본다.

보라색 보석 알갱이를
앤이 본다면
어떤 이름을 붙여 줄까?

04. 세이지

효심 지극한 남편은 두 달마다 지리산 고향집 마당과 산소에 풀을 제초(작물에 유리한 조건을 만들어 주기 위해. 또는 미관상의 필요에서 잡초를 제거하는 일) 하고. 낫으로 나머지 풀을 제거한다. 마당에 예초기로 풀을 베는데 집 안까지 굵직한 식물 줄기들이 날아 들어와 팍팍 소리를 낸다. 산소와 잔디 주위 풀을 제거하는 사이 이름 모를 '잡초'들이 모두 꺾인다. 일 년 중 봄이 오면 제초제를 한 번씩 뿌려주러 내려온다. 그때마다 나는 예민해진다. 시골 장터는 제초제를 사러 오면 알아서 내준다. 제초제가 예전보다 많이 순해졌다 하지만 환경을 공부한 이후 믿을 수 없기에 더 찜찜하다. 하지만. 산소나 잔디 주위에 잡초들이 다 덮어버리면 그것도 보통일이 아니었다. 자연과 사람 관계에서 이럴 땐 모순되는 현상을 어찌 해볼 수 없을 때가 많다.

환경 고전 레이철 카슨<침묵의 봄> '세이지'라는 식물에 대한 글이 인상 깊다. 세이지라는 식물은 잡초로 취급받는다. 현재는 톡 쏘는 향으로 인해 향신료로도 쓰인다고 한다. 이름을 알고 보니 더욱 보석과 같다. 세이지는 뇌조라는 새와 산양과 상호작용을 하며 살아가지만, 세이지가 잡초로 죽임을 당하니 뇌조도 산양도 죽어 갔다고 한다. 다양한 사람이 어울려 사는 것이 우주의 섭리인 것처럼 식물과 동물은 상부상조하는 것이 자연의 섭리다.

세이지

오래전부터 만병통치약으로 널리 알려진 약용식물이다. 세이지는 영어 이름인데 프랑스어 Sauge가 변한 말로 흔히 샐비어(Salvia)로 불리기도 한다. '건강하다', '치료한다.', '구조한다'라는 뜻에서 유래되었다. <출처 : 네이버 백과>

겨울이 돼도 상록수인 세이지의 회녹색 잎은 무성한 관목 줄기 그대로 달려있다. '쌉싸래한 맛에 향기가 나며 단백질·지방·필수 무기질이 풍부하다' 겨울 눈 속에도 산양과 뇌조에게 먹잇감을 제공해 준다. 영양분이 풍부해서 다른 동물들에게 먹잇감을 풍부하게 제공해 주는 세이지의 가치가 더욱 소중하다. 수분까지 충분히 함유하고 있어 그늘 밑에서 다른 식물이 자랄 수 있게 해주는 매력덩어리다. 하지만 목축업

자들을 위한 정부의 목초지 개발로 세이지 박멸사업을 위한 제초제가 뿌려지기 시작한다. 농부들은 수분을 함유한 세이지를 제거하고 목초만 심는 것보다 세이지와 함께 심거나 세이지 밑에 심을 때 오히려 목초가 더 잘 자란다는 자연의 섭리를 깨닫게 된다. 하지만 결국 가축을 위한 목초지 조성은 실패로 돌아가게 된다. 추운 겨울 눈보라 속에서도 먹을거리를 마련해주던 세이지가 없어지자, 굶어 죽는 가축들이 늘어나게 된다. 제초제로 인해 세이지뿐만 아니라 다른 식물(버드나무 등) 녹지까지 사라지게 된다. 제초제가 살충제보다 덜 위험 하다는 생각도 버려야 한다.
(참고: 레이첼 카슨 <침묵의 봄>)

지구온난화로 가장 먼저 사라질 곤충의 역할을 나는 징그럽다는 이유로 외면했었다. 꿀벌이 사라지고 있다는 것은 식물과 꽃이 사라지고 있다는 증거다. 보이지 않아서, 무관심해서, 무지해서 외면했다. 자연의 섭리를 삶과 죽음의 섭리로만 생각했다. 삶과 죽음이 원활히 이어질 수 있는 건 바로 자연의 생태계가 원활하게 돌아가야 사람의 생명도 삶과 죽음이 원활하게 돌아가게 된다는 원리를 이제야 조금씩 깨닫는다.
레이철 카슨은 '바람직하지 않은 식물을 방제하는 가

장 효과적인 방법은 특정 식물을 먹이로 하는 곤충을 이용하는 것이다' 라고 말한다. 결국 화학성분이 아닌 자연의 법칙을 이용한 것을 제안한다. 세이지를 죽이지 않고. 목초지를 가꾸었다면 어땠을까? 세이지가 아무리 강해도 화학성분을 이기지 못했다. 사람도 아무리 강해도 화학성분을 이기지 못하는 것처럼 말이다. 자연이 건강해야 인간도 건강하다는걸. 우리는 꼭 명심해야 한다. 자연의 법칙을 어길 수 있는 건 아무 것도 없다.

레이철 카슨
<침묵의 봄>

생태주의자. 환경주의자. 작가 레이철 카슨은
어린 시절 바다가 있는 마을에서 살며
자연과 바다의
아름다움과 소중함을 느끼며 성장한다.

어느 날 친구가 보낸 편지로
살충제로 인해 새들이 죽어가는 걸 알게 되며.
세계 최초로 살충제 위험성을 알린 책
<침묵의 봄>을 출간하게 된다.

이 시대 살충제는 널리 사용되었기에
출간되기도 힘들었던 상황이었다.
살충제는 자연뿐만이 아니라 결국
인간의 삶을 위험하게 빠트린다.

현대사회에서 살충제 화학구조의 진화는
자연과 인간에게 위협이 되곤 한다.

동물도 인간도
자연의 섭리에 따라 살아야
건강하게 살 수 있다.

05. 대나무

◇◇◇◇◇◇◇◇◇◇◇◇◇◇◇◇◇◇◇◇◇◇◇◇◇◇◇◇◇◇◇◇◇◇

어린시절 추억이 가득한 곳. 전라남도 장흥, 뒤안(뒤
곁. 뒷터)에 대나무가 울창했다. 대나무 특유의 내음
과 바람에 부딪히는 대나무 잎의 멜로디가 항상 함께
했다. <전설의 고향>을 보는 시간이 다가오면. 작은
방에서 큰 방으로 가는 길이 귀신의 집으로 가는 것
처럼 길고 무섭게 느껴졌다. 언니와 함께 건너갈 때는
손을 꼭 잡고 걸었지만 혼자 갈 때는 무서워 큰 방으
로 뛰어가다 입구에 세워놓은 요강을 깨트리거나 걸
려있던 거울을 깨트려 호되게 혼나기도 했다. (지금
생각해도 무섭다. 물레(마루)에 불이라도 켜두었다면
좋았겠지만 워낙 아끼신 분) 특히 뒤안에 대나무가
바람에 스치는 소리는 밤이 되면 더 무섭게 들리곤 했
다.

할머니는 요리를 항상 정갈하게 준비해 주셨다. 언제
나 푸르고 높고 곧게 뻗은 대나무 사이에 올라온 어
린 죽순을 뽑아와 나물도 해주시고 된장국도 끓여 주
곤 하셨다. 그 향이 독특했다. 편식은 용납하지 않으
셨다. 처음엔 무슨 맛인지 모르고 먹었다. 좀 더 시간이 흐르니 코끝에 죽순의 향과 아삭한 식감을 느끼게 되었다. 대나무는 다양한 계절과 함께 다양한 하모니를 연출하곤 했다. 바람이 불 때는 대나무 잎이 서로 부딪히며 휭휭 소리를 냈고. 비가 내릴 때는 비의 굵기에 따라 철판을 두드리듯 대나무 통에 울림이 강약을 조절하며. 연주하곤 했다. 물론 밤에 대나무의 연주 소리는 귀신 소리로 들리기도 했다.

서울로 다시 올라온 이후 특별한 여행지가 아니면 대나무숲을 만나기가 어렵다. 죽순으로 요리해 먹던 것도 잊었다. 여름엔 그늘이 되어주고. 태풍엔 집을 보호해 주고. 건강 먹거리까지 제공해 준 대나무는 참 귀한 존재였다. 대나무 꽃말은 '인내' 땅속에서 오랜 인내의 시간을 견디며 뿌리를 내리는 시간을 통해 단단하고 강직한 대나무로 성장하듯 나도 대나무처럼 인내심을 담아내고 싶다. 대나무를 보는 순간 마음이 비워지고 맑아지는 이유는 올곧은 외향만큼 그 내공이 단단하기 때문이다. 요즘엔 너무 올곧으면 살아가기 힘들다고 한다. 하지만 나는 마음속에 두려운 것 없이 하늘을 향해 당당하게 서 있는 대나무처럼 푸르고 올곧게 살아가고 싶다.

공자 <논어> 김원중 옮김

제15편 위령공
- 수신과 올바른 처신의 방법을 말하다
곧은 도 15.24

공자께서 말씀하셨다.
"내가 남에 대하여 누구를 헐뜯고 누구를
칭찬하겠느냐. 만일 칭찬하는 자가 있다면
그것은 이미 시험해 본 것이다.
이 백성들은 삼대(하·은. 주) 때부터
곧은 도로써 다스려 온 자들이다"

곧은 도는 대나무를 연상시킨다.
나 자신이 '곧은 도(道)'로 채워지지
않은 상태에서 누구를 판단할 수는 없다.
만일 판단할 수 있는 자가 있다면
지금 시대가 아닌 오랜 시간이 흘러
판단될 뿐이다.

대나무처럼 인내심으로 채우고
자신을 성찰하며 살아가는 삶이
곧 수련의 길이다.
조만간 대나무가 울창한 숲을 거닐어 보고 싶다.

06. 미루나무

"미루나무 꼭대기에 조각구름이 걸려있네~~ 살짝 걸쳐놓고 왔지요. 여기에 나오는 미루나무 맞죠? 이렇게 높고 멋진 줄 몰랐어요. 색상도 연두라 더 잔잔하니 좋네요"

봄 햇살이 가득한 오후다. 근처 호수공원을 거닐다 너무 좋은 날이라며 산책 나오라는 형님의 연락을 받고. 우리 부부는 물만 싸 들고 휭 하니 날아왔다. 역시 주차 전쟁이다.

햇빛에 반사되어 반짝이는 호수에 유유히 떠가는 강물과 오리들을 보니 내 마음도 편안함이 느껴진다. 봄꽃들이 들판. 산책길. 호숫가. 공원에 제각기 다른 색상과 크기로 아름다운 풍경을 자아낸다. 멀리 보면 멀리 보는 대로 가까이 보면 가까이 보는 대로 모두 자기만의 개성을 지닌 자연이다. 호수 끝자락을 지나 곡선을 돌다 보니 기지개를 켜고 하늘을 보게 된다. "형님! 오늘은 어째 구름 한 조각도 없대요?" "그러게 말이야."

핸드폰 카메라에 하늘을 담는다. 담다 보니 연둣빛도는 큰 나무들이 하늘에 맞닿아 있다. 식물맹인 나는 호기심이 발동한다. "형님! 이 나무 이름이 뭘까요?" "미류나무지" "아하. 미류나무요? 미류나무 꼭대기에 조각구름이 걸려있네. 이 노래 나오는 미류나무 맞죠?" "정말 그러네" 싱긋 미소를 지으신다. 조각구름하나 없는 연하늘색 하늘과 연두색인 미루나무의 어울림에 반해버린다. 카메라 속에 하늘과 미루나무는 하나의 몸처럼 작품이 된다.

형제는 앞서서 나란히 걷고. 형님과 나는 뒤에 걸어가며 주위를 둘러보느라 정신이 없다. 집에 와서도 계속 미루나무가 생각이 난다. 한 움큼 화병에 꽂아놓으면 싱그러움이 가득할 공간을 상상해 본다. 연두색 솜사탕이 자꾸 생각난다.

검색을 해보니 미류나무가 아니라 '미루나무'로 나온다. 분명 미류나무가 맞는 듯한데 '류'가 '루'로 바뀌었다고 한다. 미류나무로 평생 알고 있었을텐데 이번 기회에 알게 된다. 미루나무는 자신의 이름을 바꾼 사실을 알고 있을까? 하지만 미류나무든 미루나무든 변한 건 없다.

니코스 카잔차키스 <그리스인 조르바>
조르바의 자연 예찬은 작가의 묘사로 더욱 빛을 발한다. 미류나무든 미루나무든 그 의미를 해독할 필요는 없다. 그 자체로 소중하다. "세상만사는 숨은 뜻이 있다. 사람, 동물, 나무, 별, 그 모든 것은 상형문자다. 그 상형 문자를 해독하여 의미를 짐작하려 드는 자에게는 비탄만 있을 뿐이다."
　[<그리스인 조르바> 이 윤기 옮김 . 열린 책들]

흰 구름 - 박목월 (외국곡)
미루나무 꼭대기에 조각구름 걸려있네
솔바람이 몰고 와서 살짝 걸려놓고 갔어요
뭉게구름 흰 구름은 마음씨가 좋은가 봐
솔바람이 부는 대로 어디든지 흘러간대요

흰 구름이 한 조각도 없던 날이다. 박목월 시인이 바라본 하늘은 흰 구름이 바람에 흘러가다 키다리 미루나무 끝에 매달려 있었던 모양이다. 조만간 미루나무와 구름이 데이트하는 장면을 만나보고 싶다.

07. 능소화

장미가 피었다 시들어 갈 즈음 공원 산책 중 나를 반
겨주는 건 능소화다. 뜨거운 여름이 지나고 가을에 접
어든 8월의 마지막 날도 산책하며 능소화를 만나곤
한다. 싱그러운 초록은 자연 그 자체라면 다홍빛 매력
을 발산하는 능소화는 강한 아름다움을 안겨준다. 제
법 찬 바람이 불어오니 하얀 수국이 흐드러짐과 동시
에 시들어 가는 꽃들도 있다. 능소화도 그 시들함이
곧 자연의 섭리에 따른 무언가와 이별할 준비를 한다.

세상은 보이지 않는 시간이라는 법칙에 따라 리듬에
맞춰 순환하고 있다. 꽃이 수명을 다하면 그 자리에
또 다시 꽃이 핀다. 꽃의 삶을 보면. 인간의 삶과 닮았
다는 생각이 든다. 꽃은 만개한 시기가 짧지만, 다시
필 수 있다. 하지만 인간은 한번 지면 다시 필 수 없다
는 것이 다르다. 자연과 인간은 함께 가는 듯하지만.
삶과 죽음의 속도와 시간이 다르다. 꽃들은 죽음을 예
견할 수 있지만. 요즘엔 기후 이상으로 인해 정체성의
혼란을 일으키고 있다. 자연이 능동적으로 살았던 삶
이 수동적으로 바뀌어 버리는 현실이 되어버렸다. 사

람은 죽음을 예견할 수도 없고. 정체성의 혼란을 죽을 때까지 느끼며 산다. 인간은 능동적인 삶을 부르짖는 이유는 이렇게 수동적으로 살 수밖에 없는 운명이기 때문이 아닐까?

로마의 황제 마르쿠스 아우렐리우스는 스토아 철학 자이기에 우주 속의 인간은 자연의 법칙에 따라 태어나 죽는 존재이며. 삶에서 높은 지위·명예·부로 살았다 해도 죽으면 한 줌의 흙으로 돌아가는 존재라고 말한다. 사후에 모든 존재는 망각 된다. 결국 지금 내 삶은 현재 이 순간 여기에 몰입하며 살아가는 게 지혜로운 죽음을 맞이하는 과정일 것이다.

능소화의 꽃말은 여성·명예·이름을 날리는 것이다. 여성의 명예로 인해 세상에 이름을 날리고 싶다는 건 화려한 꽃이 피는 7.8월뿐만이 아닌 열매를 맺고 다시 생을 마감하고 시작하는 모든 과정에 꺼지지 않게 이어진다. 능소화는 멸할 운명이라는 걸 알면서도 화려한 아름다움을 마지막까지 품어내고 있다. 내 삶도 마지막까지 아름다움을 품어내며 살아가고 싶다.
대부분 꽃들에게 벌들이 날아오지만, 능소화에겐 개미(곤충)들이 모여든다. 아마 다른 꽃들과 달리 개미는 능소화의 매력에 빠진듯싶다. 능소화의 촘촘한 꽃술을 보게 되면. 개미들의 행진이 이어진다. 손으로 만지고 싶다가도 개미들의 출몰에 깜짝 놀라 뒤로 물러난다. 능소화는 개미들의 방문이 반가울까 아니면 괴로울까? 사람도 사람들 사이에서 살지만. 자신만의 오롯한 고독의 시간이 필요한 것처럼 능소화도 개미의 침입이 꺼려질 수도 있겠다.

돌풍이 불고 난 후, 찬바람이 불면 공원 산책에서 만날 능소화의 모습이 어떨지 마음의 희비가 교차한다. 자연의 섭리는 받아들여야겠지? 지구 위기로 인한 돌연변이 자연의 섭리도 인간은 투덜대지 않고 받아들여야한다. 능소화가 시들고 있는 모습을 보며. 오늘도 인간의 삶을 빗대어 생각해보게 된다.

08. 나는 나비

유튜브를 켜고 흥얼흥얼 노래를 따라 부르다 멍하니 노랫말을 음미하기를 반복한다. 가수 윤도현 <나는 나비> 노래다. 귀를 열고 정확한 노랫말을 반복해서 듣다 보니 그 의미가 다르게 다가온다.

<나는 나비> 윤도현

내 모습이 보이지 않아 앞길도 보이지 않아
나는 아주 작은 애벌레
살이 터져 허물 벗어 한 번 두 번 다시
나는 상처 많은 번데기

<중략>

추운 겨울이 다가와 힘겨울지도 몰라
봄바람이 불어오면 이제 나의 꿈을 찾아 날아
날개를 활짝 펴고 세상을 자유롭게 날 거야
노래하며 춤추는 나는 아름다운 나비
날개를 활짝 펴고 세상을 자유롭게 날 거야
노래하며 춤추는 나는 아름다운 나비
<출처: 네이버>

184

노래를 들을수록 외적인 성공보다는 내적인 비상으로 의미가 바뀐다. '자유롭게 춤추고 노래하고 사랑을 전하는 아름다운 나비' 고전에서 동경의 대상을 투영하는 주인공이 있다면. 가수는 자신의 꿈이나 이상향을 가사 속에 의미를 투영해 보기도 한다. 아름다운 나비가 되기 위해서는 자유롭게 춤추고 노래하며 사랑을 전할 수 있는 존재가 되어야 한다. 자신이 삶의 가치를 담은 의지를 가사에 담아낸 듯하다. 나는 아름다운 나비가 되기 위해서 지금 애벌레 단계에 있을까? 아니면 번데기에서 아름다운 나비가 되기 위해 온갖 고통을 이겨내며 상처를 견디고 있는 걸까? 번데기가 아름다운 나비로 탈피하기 위해서 얼마나 많은 시련을 겪어야 할까?

살아오며 앞이 캄캄해 아무것도 보이지 않았던 시기 '애벌레'를 보냈고. 애벌레 단계를 거쳐 크나큰 시련. 고통을 겪어가는 '번데기' 과정을 거친다. 번데기는 스스로 허물을 벗고 나비로 탈피해 세상에 나와야 한다. 죽음은 수동적일지 몰라도 우리의 삶은 능동적이어야 한다. 누군가의 손길로 좀 더 편하게 나비로 태어난다 해도 그 나비를 오래 살지 못하고 죽고 만다.

「나비는 번데기에다 구멍을 뚫고 나올 채비를 하고 있었다. 나는 잠시 기다렸지만 오래 걸릴 것 같아 견딜 수 없었다. 나는 몸을 굽혀 입김을 데워 주었다. (중략) 덕분에 나비가 천천히 기어 나오기 시작했다. 이어진 순간의 공포는 영원히 잊을 수 없을 것이다. 나비의 날개가 도로 접히더니 쪼그라들고 말았다. (중략) 나비는 필사적으로 몸을 떨었으나 몇 초 뒤 내 손바닥 위에서 죽고 말았다. 」
  [니코스 카잔차키스 <그리스인 조르바> 열린 책들]

성장 과정이 아무리 힘들다 해도 시기만 다를 뿐 애벌레에서 원하는 아름다운 나비로 비상할 수 있다. 날개를 활짝 펴고 자유롭게 날 수 있는 나만의 행복한 나비가 되기 위해서는 나는 앞으로 어떻게 살아야 할까? 노래 가사를 바꿔 본다. 마지막 구절을 바꿔 보려 하니. 내가 추구하는 인간상이 보인다.

''노래하며 춤추는 나는 행복한 영혼.마음을 활짝 열고. 세상을 열리게 바라볼 거야. 칭찬하며 토닥이는 나는 오픈 마인드 나비~~워워워''

지금은 번데기 속에서 세상 밖으로 나오기 위해 발버둥 치는 존재일지라도 언젠가 모든 선입견을 벗어던진 오픈 마인드 사랑 가득한 행복한 나비로 날 수 있을 거라는 희망을 품어본다. 외적으로 아름다운 나비도 원하지만, 내적으로 아름다운 나비가 된다는 건 더 오랜 번데기 시기를 견뎌야 할지도 모른다. 시련을 견디는 걸 지독한 고통이라는 생각에서 벗어나 내가 원하는 아름다운 나비가 되기 위한 즐거운 성장의 과정으로 받아들이고 싶다.

내 삶에
고전꽃이 피었습니다.

발 행	2024년 1월 2일
저 자	김인교
펴낸이	한건희
펴낸곳	주식회사 부크크
출판사등록	2014.07.15(제2014-16호)
주 소	서울 금천구 가산디지털1로 119, SK트윈타워 A동 305호
이메일	info@bookk.co.kr

ISBN   979-11-410-6328-3

www.bookk.co.kr

ⓒ 김인교 2024
본 책은 저작자의 지적 재산으로서 무단 전재와
복제를 금합니다.